JN116480

継承と共有

所有と交換のかたわらで

桕正行

はじめに

文化には「本流」、「伏流」、「三日月湖」という河川のメタファーで語れる側面がある。本流とはだれの目にも明らかな、あるいは明らかであるとされる文化の継承の流れ。伏流とはここで文化が途切れているが下流でまた姿を現すと見てとる人々が、たとえ今は見えなくとも重要視する文化の隠れた流れ。三日月湖とはかつて文化という川の流れの一部であったものの、閉じた状態で、ひとつの完成である場合もあれば淀み切っている場合もある状態。三つが河川のみならず現象としての文化にも認められる。伏流や三日月湖は本流が陳腐化したとき力を見せる。三日月湖として滞留したかの作品が、新たな読みにより、新たな文化の発信源になる。そこでより正確に文化を見るため、所有、継承、交換、共有という順を意識する。すると所有以前にも以降にも、飢餓や略奪がその姿を思いのほか露骨に見せていることに気づく。

本書は文学や映像作品を対象に、それらの中にある人間の所有、継承、交換、共有という四つの活動を考察する文化論だ。かたちある物体、モノに関しての活動を考察する一方、かたちとしてはっきり見えない精神活動、つまり文化（有形、無形がある）活動への考察へと及ぶ。文化の厳密な定義にまずはこだわらず、作品、文化の具体例に即し想起されたイメージの連なりを記述し繋げていくので、読者には本書を通じ好みの作品などを糸口に四つの活動を巡るイメージを膨らませていただければと思う。その過程で読者と著者に共有可能な複数の境地に至る道が見えてくるはずだ。他者のことばを引用する。外部の景色を借景する。他者のことばやモノを模倣し学習する。やがて創造に向かう。一連の流れを拙著『引用と借景』（二〇一八）、続いて『創造と模倣』（二〇一九）で考えた。『抽象と具体』（二〇二〇）では抽象（化）と具体（化）と創造行為との関係を見た。こうした用語で語った内容には、時間という要素も盛りこんだつもりだったが、十分ではなかった。少し長いスパンで考えることはできないか。そこで継承という概念に行き着いた。土地や家などの目に見えるモノ、さらには目には見えない存在に人が気づいているもの、そしておよそ人のつくった文化という一見すると曖昧模糊としたもの、こうしたものが所有され、継承されていく。

衣食住にも所有、継承、交換、共有がかかわる。衣は親から子へ、継承可能だ。だが基本的には個人の所有に帰する。一度袖を通して市場に出すというかたちもある。年齢の似た兄弟や姉妹が共有することもある。貯蔵可能な種子や粉をのぞき、食材そのものを継承するのは無理としても、調理法は継承される。食物は体内に入り、血肉となる。食物はかつて交換の対象だったし、今日は市場で売買される。モノも文化も交換され、共有もされる。住も所有と継承の対象となる。市場にも出る。

本書の構成は以下のようになる。第一章「所有と継承のイギリス文学」は、イギリス文学というひとつの連続性をもつ対象を中心に、どのような継承行為を読み込むことができるかをみる。もとより、何が継承されるのか、それ以前に何が所有されていたのかが問題だが、継承の具体例の芸術的側面に力点をおく。ここでも人やモノを描き尽くすチャールズ・ディケンズの作品をしばし参照する。イギリス的という表現をどう解釈するにせよ、ディケンズ・ワールドに一度は身を浸してみることが欠かせない。たとえその後、フォースター、ウォー、イシグロの世界に移っていくとしても。もとよりシェイクスピア世界へは、その大きさにおしつぶされないように注意を払いつつ何度でも戻ることになろう。

第二章「ウディ・アレンのフィルモロジー」は主にアメリカ文化の話題が中心となる。なぜウディ・アレンか。シェイクスピア、ディケンズと来て、アメリカに文化が興隆したとき、この二人に匹敵するほどの物語を創造したのはだれかと考えたところ、映像の時代に育った著者には、数の点でも質の点でもまずウディ・アレンの名が浮かんだ。彼の作品には著者の生きている時空間、同時代の問題がはっきりとした輪郭で描かれている。人と作品の中に共通した文化が生きている。そしてシェイクスピアやディケンズ同様、独自の笑いの世界を創りあげている。アメリカとその文化の隆盛について知ろうとするならばアレンは欠かせない。

第三章「夏目漱石の継承と途絶」は、先生と主人公の「私」の、ある共有に至るまでのプロセスとして『こころ』を読み直す。

第四章「静と動の表象」は漱石の抽象世界を離れ、人の目に触れるモノ、ブローシャ、フライヤー、タブローという具体的な表象の類の意味と機能を解き明かし、紙一枚を各地に追う。

第五章「大都市と文化への憧憬」は大都市が文化の発信源であった時代、ある時代の人の目の動きを扱う。二〇一九年秋、コロナ禍によりわれわれは劇的な変化を目の当たりにすることになった。

第六章「カズオ・イシグロの四つの活動」は、所有、継承、交換、共有がイシグロ作品のなかにどのように取り込まれ、小説という言語の芸術作品に仕上がっているかを考える章になる。『忘れられた巨人』では、所有から共有への流れだけでなく、アクセルとベアトリスが所有以前にもあった飢餓や略奪という暗部を隠しつつ、危うい共有のありようをつぶさに追うという緊迫した空気の読み解きを行う。

第七章「本と往復書簡、内面の共有」は現実の世界において心の内面を共有する人々の往復書簡に触れながら、先行の六つの章までをまとめる。たとえばV・S・ナイポールの姉カマラとナイポールの指導教官との手紙は、ナイポールという才能とその存在のすべてを共有した貴重な記録となっている。

大都市の古書店街で、地方のともすると見落としがちな書店で、外国のたまたま立ち寄った書店で、積み重ねられた本の山の中に、人と人との内面の共有の兆しがあり痕跡がある。作家と作家の、作家と読者との関係、内面の共有はあらゆるところで見いだされる。記憶装置としての文学の世界の旅はいつ果てるともなく続く。

『継承と共有　所有と交換のかたわらで』目次

第二章　ウディ・アレンのフィルモロジー……47

アメリカ文化の体現と捕捉

第一章

所有と継承のイギリス文学

イギリス文学に所有と継承をめぐる話題は事欠かない

婚姻と土地の相続、継承

イギリス文学に所有をめぐる話題は事欠かない。十九世紀初頭、見事な長編を六冊世に出したジェイン・オースティン（一七七五―一八一七）の作品は、どれも男性の所有する土地や年収が問題で、両者併せ持った男性との良縁に恵まれることがいかに重要かと説き続ける。その上、愛があれば言うことはない。作家オースティン自身は財産のみの相手、愛のみの相手には出会ったようだが、両者を兼ね備えた相手には出会えず若くして亡くなった。男女の問題、財産の問題は単純ではないが、小説のなかでは作中人物の人生が終わってみると、幻想や妄想の霧が晴れ、問題の骨格が明らかになる。もっとも小説の冒頭で問題がはっきりしていたら、読者も本を手にとらないだろうし、作家も作中人物をうまく動かせない。作家は書きながら思考するのが常であるから。

イギリス一九世紀の人ジョージ・エリオット（一八一九―一八八〇）という思索的な作家に『ミドルマーチ』（一八七二）という原文で八〇〇頁ほどの作品がある。両親を失ったドロシアとシーリアという姉妹が伯父と生活し、伯父のブルック氏はできれば長女のドロシアが隣地の所有者の準男爵チャタムと結婚してくれれば、ふたりに男子が生まれた場合、その子がふたつの土地を相続することになると計算する。ドロシアはチャタムの求婚を退け、親子ほど年齢差のあるカソーボンという神学者と結婚する。カソーボンは『神話学全解』という大著を企画しているが仕事は遅々として進まない。仕事の遅延は、ものを書こうとするものにとって不吉なエピソードだ。後に触れる『文学効能事典』は『ミドルマーチ』を「結婚相手をまちがえたとき」に読む本として挙げている。カソーボンとドロシアは共有できるものを何ひとつ持たなかった。

映画『英国式庭園殺人事件』（一九八二）は家と土地という財産の継承者を確保しようという女主人のもくろみが主題であると、鑑賞後わかる。

映画『炎のランナー』（一九八一）には自邸の広大な芝生でハードル走の練習を行う貴族が、執事にハードルの上にワインを注いだグラスを乗せさせる。広大な土地を継承した人物の視覚化の一例だ。それを言うならヨークシャーのキャッスル・ハワードでロケをした映画『ブライズヘッド再訪』

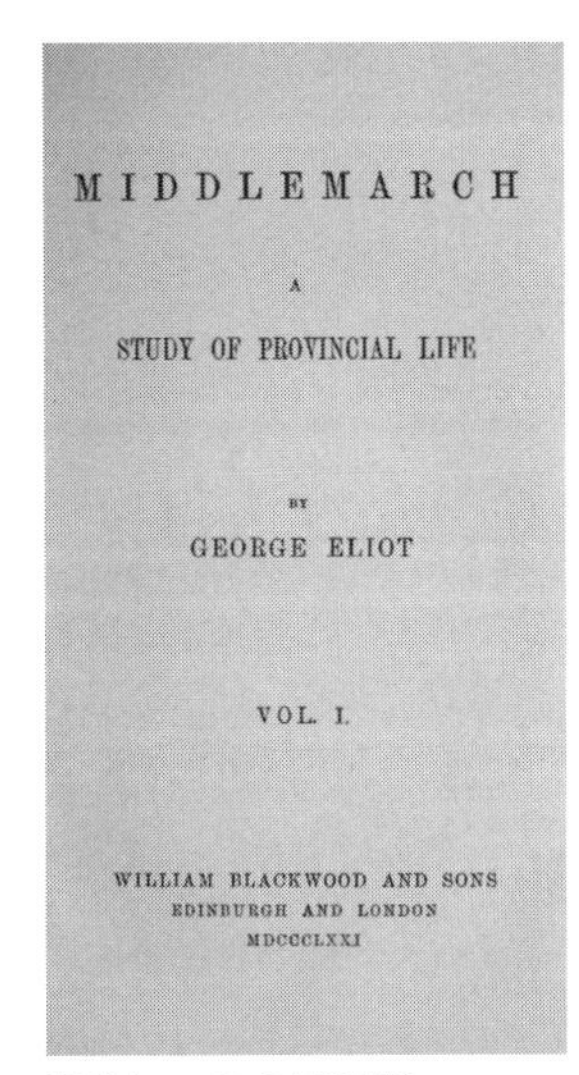
MIDDLEMARCH

A

STUDY OF PROVINCIAL LIFE

BY

GEORGE ELIOT

VOL. I.

WILLIAM BLACKWOOD AND SONS
EDINBURGH AND LONDON
MDCCCLXXI

『ミドルマーチ』の初版表紙
（Ⓟ 1871、Archive.org）

Rosamond Vincy and Tertius Lydgate from *Middlemarch* by George Eliot.
Published by The Jenson Society, NY.
（Ⓟ 1910, Archive.org）

（原作は『回想のブライズヘッド』イヴリン・ウォー著、小野寺健訳）でセバスチャンやジュリアの持てるものは継承の結果以外の何物でもない。この作品の原作『回想のブライズヘッド』はイギリス文学の多くの作品に通底する継承のモチーフがある。イシグロの『日の名残り』は、屋敷というものを執事の目から見るという観点に変えて、大邸宅を舞台とする作品のありようを継承している。

『ハムレット』の継承

多くの人が聞き覚えがあるウィリアム・シェイクスピア（一五六四―一六一六）の『ハムレット』（一六〇二）。本書では文化のハイもロウも必要のないかぎり意識しないので、今やハイ・カルチャーに分類されるというシェイクスピアも二つが混在するというほうが現実に近いと捉える。『ハムレット』には芝居や映画で触れることができ、ロレンス・オリヴィエ（一九〇七―一九八九）からケネス・ブラナー[1]（一九六〇生）まで、さらに蜷川幸雄（一九三六―二〇一六）の作品まで好みに従って鑑賞できる。

今、観なおしたいのはオリヴィエの『ハムレット』（一九四八）。ハムレットの父王から自分に受け継がれるはずの王位が父王の弟に奪われるという話。ハムレットに真相を告げるのは父王の亡霊。ある夜、ハムレットやホレイショが手すりのない階段の上の亡霊が出るとされる見張り台で待っていると、亡霊が現れ、現国王の悪事を語る。現国王が午睡中のハムレットの父の耳から毒薬を注いだ。国王亡きあとハムレットの母ガートルードは現国王の妃となる。「たった一か月」で。驚きと絶望を経験したハムレットは、ことの次第を調べ、復讐を計画する。以上はだれが要約しても落とせない筋の本質にかかわる内容だが、ここでは、約四十年以上も前に、名画座で観たオリヴィエの『ハムレット』で今も印象に残っている場面、そして今観直して、ここか、という場面の話をする。

現国王と王妃が大広間の階段から降りてくる場面。家臣たちが膝をおって恭しく会釈し、かれらを迎えるこの場面に欠かせないのは、階段だ。国王夫妻が高みから階段を下りてくるさまが、家臣たちとの位置関係を規定し、観る者に王の権力を再認識させる。その権力やモノのかずかず、ひいては前王の妻までがハムレットの父から現国王に継承された。ハムレットは継承の流れの外に放りだ

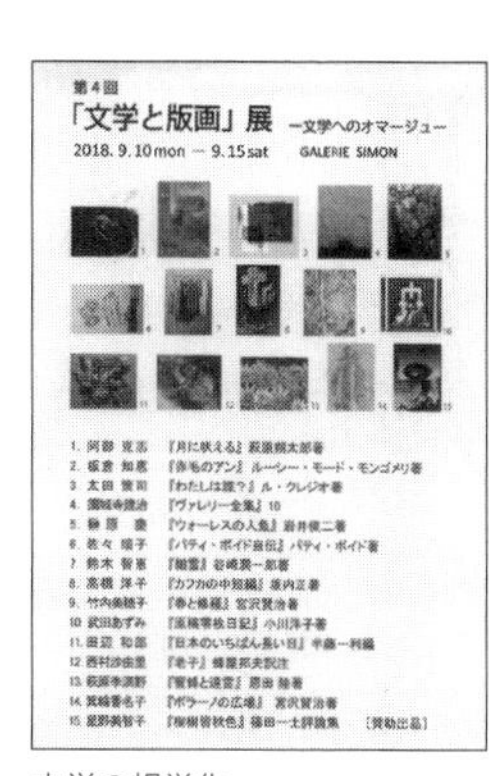

文学の視覚化
「第４回「文学と版画」展ー
文学へのオマージュー」のカード
2018.9.10-9.15
ギャルリー志門

「ハムレット」のドラマリーディングのパンフレット
構成演出：深作健太
2019.1.30-2.4
紀伊國屋サザンシアター

された。

階段と扉

現国王夫妻が降りてくるのも階段、ハムレットが先の王の亡霊に会うため見張り台に登るのも階段。『ハムレット』では作中人物たちがたんに平面上を移動するのではなく、階段などをつかって上下に移動する。まずは階段というモノの話、目に見えるモノの話をおさえておきたい。

階段とは人を上下させる具体的な機能をもつモノだ。作品中で劇作家が選び取った結果としてのそうしたモノを、後世の作品に読み込むこともできれば、モノとしてどのように生活や作品に登場することになったかという系譜をさぐることもできる。シェイクスピアから三世紀以上の歳月を経た作品からいくつか。『戦艦ポチョムキン』（一九二五）の階段の場面。イギリスの作家ジョン・バカン（一八七五―一九四〇）著アルフレッド・ヒッチコック（一八九九―一九八〇）監督の『三十九夜』（一九三五、原題は『三十九階段（ステップス）』。ただしこれは最後で明らかになるが階段のことではない）。ダーク・ボガード主演映画『召使』（一九六三）でついに階段で子供じみたゲームに興じる主人と「召使」。イーヴリン・ウォー（一九〇三―一九六六）の名作『回想のブライズヘッド』（原作一九四五、改訂版一九六〇、小野寺健訳の岩波文庫二〇〇九）のジュリアとチャールズの最後の会話場面の階段（ダイアナ・クイック〔一九六四生〕主演の映画では省略）、映画『アンタッチャブル』（一九八七）のエリオット・ネスが階段

左上：エスカレーターが登り階段に代わる。左下：エスカレーターが下り階段に代わる。
共に富山市立図書館。著者撮影。

の乳母車を止めようとする場面。
映画『花様年華』（二〇〇〇）でチャイナドレスを着たマギー・チャン（一九六四生）が地下の中華料理店から持ち帰りの食事をもって階段を上がってくる場面。これに匹敵する西洋の階段としては、いや、梯子なのだが、映画『鳩の翼』（原作、一九〇二。次頁および158頁参照）でミリーが登るヴェニスの修復中の教会の梯子。

二作ともフィクションだが、フィクションはその入口で観る者が現実を離れ、出口で現実に戻る。入口と出口の間が現実より現実的に描き出されるとき、人は、所詮フィクションだからという揚げ足取りをやめ、場合によっては恥じ入り、フィクションに耽溺する。映像を満喫する。小説という言語芸術作品の真価を知る。詩は入口も出口も告げることなく、読者の前にいきなり本質を差し出す。

現実の世界には、豊田市美術館や東京ステーションギャラリーのように階段が重要な役割を演じる施設もある。『世界の美しい階段』（東京エクスナレッジ、二〇一五年）といった写真集は、日常生活とかけ離れてはいるものの、階段についての思索[2]を大きく広げる。『いい階段の写真集』（二〇一四）といった本もある。

上下ということを意識する映画監督もいる。映画『アニー・ホール』（一九七七）で主人公の男性の育った家をコニー・アイランドのジェットコースターの下に設定するウディ・アレン（一九三五生）だ。『ウディ・アレンのバナナ』（一九七一）にも乳母車が階段を下る場面がある。

階段を視点の移動という観点から見たのはV・S・ナイポール（一九三二―二〇一八）だ。エッセー『読むことと書くこと』（二〇〇二）には、階段を数段登ることで、世界が異なって見えるという記述がある。学校に通い始めたばかりのころからの回想に始まるこの作品は平易なことばで難しいことを言う。

ロンドンの土産物屋でロンドンの家のドアをいくつも載せた絵葉書を買い求めたことがあった。ドアの向こうの世界では何がという好奇心を掻き立てるという趣向の絵葉書だ。ドアは作品のレヴェルでも使われていて、ヘンリー・ジェイムズ（一八四三―一九一六）のノートン版の『鳩の翼』を開いたときの記憶がよみがえる。ミリーという作品の重要人物が病におかされ、医師の診断を受けるが、その版の冒頭には「医師のドア」というキャプション付きのドアの写真が掲げてあった。フランツ・カフカ（一八八三―一九二四）の「掟の門前」（一九一五）さえも想起させるかのような本のつくりだ。医師のところに行くには勇気がいる。病も運命と割り切った境地で通院できる人が多いとも見えない。日常にあって、扉のこちら側は市井、扉の向こう側は別の世界、その間に扉があるとまで考えて通院しないが、ジェイムズという作家はそういうところを丹念に考え、そして描いた。だから今読んでも人を深い考察に誘う。そうした読者は表面的な刺激ではなく深い考察を求めて本を開く。

機能、デザイン、エレガンス

居間や寝室は人が動きを止める空間だが、階段、廊下、玄関は、人の動きと結びつく。映像の世界でも、階段の上には、あるいは下には何があるのか、廊下の向こうには何があるのか、玄関ドアの中には何があるのかと、思わせぶりなカメラワークの対象となる。階段は階級社会のメタファーともなる。地下室が犯罪の場という作品は無数だ。

階段、廊下、玄関は装飾を取り入れていないというわけではないが、登れない階段、通れない廊下、入れない玄関ドアはない。ジョヴァンニ・バチスタ・ピラネージ（一七二〇―一七七八）の版画に見られる階段は実際の役には立ちそうにない。そこに詰まったかに見えるホコリやカビが気になる。想像力を刺激するもののカビのない世界のほうが居心地がよい。エッシャー（一八九八―一九七二）の作品にもそうした階段が出てくる。まず人を上下させ、人を通らせ、人を入れるという「機能」こそ重要。壁にかかる絵や手すりの彫刻などは、「機能」あっての装飾だ。階段、廊下、玄関などは個室、個人の居室よりも共有性が高い。その家のだれもが利用し、訪問者も利用する。

家の内部を見るにつけ、ジャン・ボードリヤール（一九二九―二〇〇七）の言う、本質的要素としての「機能」と、「機能」から解放されたデザインなどの非本質的要素の「付加価値」の違いに目が向く（『物の体系』、法政大学出版会）。ボードリヤールが例に出したのはコーヒー・ミルであった。コーヒー・ミルの豆を挽くという本質的機能ではなく、デザインという非本質的要素が物体系を構成しているという考え方だ。

機能、あるいは機能性にこだわってフライヤーの束を見ると、「ひだ：機能性とエレガンス」という二律背反を克服したかに見えるモノの企画展が目に入ってきた。文化学園服飾博物館の二〇一九年から二〇二〇年にかけての企画展だ。フライヤーの説明は衣服のひだに込められた人知を凝縮する。

> 衣服のひだには、プリーツ、ギャザー、シャーリング、タック、ドレープ、フリルなど、多くの表現があります。これらのひだには、布を体のラインにフィットさせるため、働きやすくするため、気候風土に適応させるため、といった

「M.C. エッシャー展」のパンフレット
2019.4.5-5.28
公益財団法人岡田文化財団パラミタミュージアム

機能性の追求の他、装飾性を持たせたり、布の流れを強調して体のラインを美しく見せる、といったフォルムの追求のために用いることもあります。本展では、世界各地の民族衣装やヨーロッパのドレスなど、ひだが作り出す機能性とエレガンスに焦点を当てます。

学問の理想のひとつ、おもしろくてためになるということも、この文脈で考えられる。おもしろいだけでも何かが欠け落ちている感が否めないし、ためになるだけでも人は動かされない。その点、文学、音楽、絵画などはそもそもおもしろくためになると考えられてきたが、二十一世紀もここまでくると、ためになるか否かで対象をはかる姿勢が勢いをつけ、両者のバランスが崩れてきた。

息長き継承

所有と継承については古典が好材料となる。英語圏の文学、美術、映像について総合的に考えるにあたり議論の共有に格好の材料を提供するのはやはり劇作家シェイクスピアだ。王たちの物語が多いから、話はすぐに所有につながる。

ユーリー・ヤルヴェルト演じるリア王。この王の存在感に肉薄するのが道化。王の心のなかのことばを道化が代わって口に出す。映画『リア王』(一九五三)もよくできている。巨漢のリア王が地図を両手に長女のことば、次女のことばを聴いては、この地図のこの領土を与えようと地図をびりびりと破って与える。継承が地図によって見事に視覚化された場面だ。三女コーデリアの番がくる。コーデリアはモノに拘泥しない娘であった。かの女はモノをもってこそ価値ありと見る父親リア王の考えを見事に覆す。コーデリアはリア王から見放されるものの、身一つで迎えたいという男性と一緒になる。

『マクベス』は映画（ロマン・ポランスキー監督、一九七一）から入った。それから音声版を聴いたり、テキストを丹念に読んだ。魔女の預言があるから生き残れると確信していたマクベスだが、戦闘のなかで予想外のことが起こる。ダンシネインの森が動くまで自分は滅びぬとの魔女の預言。動くことなき森が実際に動いた。敵の兵士たちが身体に枝をつける。マクベスの方から観ると、緑の森が動いているかのよう。女から生まれた者には殺されないという預言も、見事翻った。一騎打ちの相手は帝王切開で生まれたのだという。かれがマクベスを討ち取る。マクベスは暗殺によって王位を得、瞬く間にそれを失う。『ヴェニスの商人』（一五九六）では交換が重要なテーマとなる。

王位に加え、もうひとつ継承がある。シェイクスピア劇そのものの継承だ。かつてロンドンのテムズ川の南のグローブ座で上演されたいくつもの劇は、その後、ストラットフォード・アポン・エイボンはじめイギリス各地で上演され、さらに世界各地で上演されていった。シェイクスピア劇は、十六世紀ロンドンから二十一世紀日本の蜷川幸雄にまで継承された。ただ、シェイクスピアについては解釈が無限にひろがりそうで、丹念に追っていると消化不良をおこす。初めて作品の上演を観てそのまま引きずり込まれていくという若者も少なくない。若者と呼べぬ年齢に達した人をひきつけて監督してみたいという気も起こさせる。シェイクスピアを後世の外国の演出家や映画監督が継承するという例はわかりやすい。シャーロック・ホームズ[3]も同様に継承されている。

継承の場としての学校

継承は教育機関の本領のひとつ。学校を舞台とする映画は継承をテーマとする作品が多く、そうした作品の主人公は高校生や大学生になる。『ペイパー・チェイス』（一九七三）しかり、『ある愛の詩』（一九七〇）しかり、『いちご白書』（一九七〇）しかり、『スパニッシュ・アパートメント』（二〇〇二）しかり、『天才画家ダリ』（二〇〇八）しかり。パブリック・スクールのラテン語教師を描いた『チップス先生さようなら』（一九三九）や数学に関わる『グッドウィル・ハンティング』（一九九七）は教員にも目を向ける。個人指導だが『小説家を見つけたら』（二〇〇〇）は創作行為に関わる。

イギリスの作家デイヴィッド・ロッジの小説『交換教授』（一九七五）とアメリカの作家ソール・ベロー（一九一五―二〇〇五）の小説『学生部長の十二月』は教員に目を向けた作品だ。『交換教授』はイギリスの学者とアメリカの学者がそれぞれ相互の国を訪れて、自国ではない経験をする話だ。同じ交換でも『ブリッジ・オヴ・スパイ』（二〇一五）は冷戦時代の危機に関わるアメリカの弁護士を主役（トム・ハンクス、一九五六生）とする政治的サスペンスだ。アメリカの偵察機がソ連領空で撃墜され、パイロットが捕まる。すぐにアメリカに潜入していたソ連のスパイが捕まり、弁護士が捕虜交換の交渉にあたる。

イーヴリン・ウォー原作の長編テレビ映画『ブライズヘッドふたたび』（一九八一）にはオックスフォード大学での生活が十二分に描かれているが、教官たちの姿はまれだ。祭りでオックスフォードを訪れる女性たちに自室をクロークとして使わせる教授が喜劇的に触れられる。

映画『セッション』（二〇一四）は音楽がテーマ。全米一という設定の音楽大学の教授フレッチャーは学生のプライドを粉砕するようなかたちで授業を進めるが、敵も多い。教授法に納得できず離れていく学生も後を絶たない。不幸な結末もある。ただ、これは描き方の問題ということにもなろうが、フレッチャーには音楽の継承の意義に対する譲れぬ信念がある。作品は学生たちのその後へと観る者の関心を誘う。フレッチャーはそこまで厳しくしなければ第二のチャーリー・パーカー（一九二〇―一九五五）は出ないと考えていた。議論がわかれる。ひとつのジャンルには最盛期というものがあるから、第二を望んでも無理があるという考え方。教育方法次第で才能を持った若者から第二を生み出すことができるという考え方に。

エマニュエル・ベジャール主演のフランス映画『愛を弾く女』（一九九二）も大きな枠組みとしては郊外の老いた師の家に出入りする弟子たちの物語と言える。演奏家となったベジャールは師の私邸の夜会で、文化の大衆化を嘆く別の客のことばに、文化は共有すべきものと反応し、ヴァイオリン製作者となったステファンに意見をもとめる。ステファンはどちらの議論にも与せず、曖昧な態度を取り続ける。かれのビジネス・パートナーのマキシムとの結婚が目前のベジャールは、次第にステファンに惹かれ、自制が効かぬまでになる。ベジャールは書店[4]を経営する友人エレーヌの前で心を開く。

エレーヌとステファン、またベジャールとマキシムが結局何をしていたのかというと、それは感情の共有であった。演奏家ベジャール、製作者ステファン、書店経営者エレーヌは言うに及ばず、日々、経営に普請するマキシムも、ベジャールとステファンの感情のありようを共有してしまう。ステファンの本当の感情の所在が明らかになったところで作品は閉じる。

技術から入る、教科書から入る、つまり外側から入るという教育法は無数だが、研ぎ澄まされた感性の共有は容易ではない。そういう継承がありうるのだという認識の手前でとまってしまうほうが多い。感性の共有、ただそれだけを対象とした『愛を弾く女』は、一般にぶれがちの作品鑑賞への警鐘となる。

芸術と効能

芸術については機能を語れないという見かたがある。ボードリヤールの『芸術の陰謀』(NTT出版、二〇一一)のように現代芸術の存在意義を問う論考もある。意味があると考える立場には必要だが、意味がないと考える立場には必要ない。

『文学効能事典』（フィルムアート社、二〇一七）という文学の意味を割り切って扱う本がある。「文学」と「効能」ということばがひとつのタイトルのなかに同居していること自体に違和感を抱く向きもあろう。ところが、この本は小説や詩についても効能ということばで語りうる余地があることを教える。

カズオ・イシグロ（一九五四生）の小説『日の名残り』（一九八九）。事典はこの作品を「やるべきことを先送りしてしまうとき」に読む本として推奨している。主人公のスティーヴンスが屋敷の管理や主人への忠誠にあくせくして目の前の大事な女性との生活について考えることを後回しにした、先送りしたことによって後悔する話だという。しかし事典をよく読むと、『日の名残り』の処方箋ほどわかりやすいものはなく、むしろ作品と処方箋との間のニッチの部分を筆者たちのユーモアが埋めているという例が目に付く。結局、力点は、読書はこれほどに楽しい、というところにある。

「効能」とは薬のイメージを借りての比喩で、特効薬とか常備薬へと連想が走るが、もっと切実なタイトルの芸術論もある。千野帽子の『物語は人生を救うのか』（ちくま新書、二〇一九）だ。一見、ハウツーもののようなタイトルだが、中身は物語に対する真剣な議論に終始し、この問題を語る上での基本的な枠組みや用語への読者の理解を深める。著者は小説や映画を可能なかぎり引用しながら書いており、物語の必要性を前提として話を進めている。レイ・ブラッドベリ（一九二〇―

二〇一二）の『華氏四五一度』（一九五三、映画は一九六六）のメッセージに耳を傾けたくなる。アメリカの文化人類学者クラックホーン（一九〇五―一九六〇）に『人間のための鏡』（光延明洋訳、サイマル出版会）という著書がある。文化人類学がなぜ必要かという問いに、人間が自分の姿を見るための鏡の役目を演じる学問だと主張する。このタイトルに倣うならば、物語にも人間の鏡という役割がある。衣食住あれば人は最低限生きていけるが、鏡がないと困る。自分の姿や思考を客観視できなくなる。人の失敗や成功から学べず、一から自分で初めて、成功ならばまだしも、失敗を経験しなければならない。

効能ではなく消費という面はどうか。小説もまた消費される。ディケンズを例にとろう。まず小説は雑誌に掲載される。同時代のイギリスやアメリカの読者に読まれる。この時は古典でもなんでもない。

文字の「機能」から文字の「作品」へ

「文ッ字　大日本タイポ組合展」のパンフレット
2019.4.20-6.30
町田市民文学館ことばらんど／大日本タイポ組合

次に三巻本や単行本で出る。同時代性が薄まる。時代が下るとペーパーバックも出る。この段階で古典の様相を帯びる。研究書が出る。果ては大学での講義対象となる。翻訳が出る。作中人物などの辞典まで出る。消費されつくす。その一巡をしいて壊すのは、外国の読者や初めて作品に接する読者だ。かれらは、どこかで一度消費しつくされた作品群を新たな感動をもって読むことができる。遅れてきた読者に大事なのは、この新たな「感動」を経験できるか否かの判断だ。最初の出会いで決着がつく。古典とうたわれているからではなく、作品との直の接触がものを言う。

記憶と秘密の共有

記憶というテーマは、『回想のブライズヘッド』の主人公ライダーの冒頭の回想につながる。セバスチャンは病みがちのままヨーロッパや北アフリカを放浪し始め、母親が亡くなってからは、ライダーとジュリアの記憶の共有が作品の前面に出る。セバスチャンとライダーのオックスフォードでの大学生活、夏の休暇でライダーが訪れたセバスチャンの実家に滞在中の妹ジュリアとの出会い。そうしたものすべてがライダーの記憶のなかにきれいにおさまっている。ライダー。どこかで聞いたことのある名前だ。イシグロの『充たされざる者』の主人公の名前だ。

映画『できごと』（原題『アクシデント』、一九六七）は横転した車のシーンから始まる。事故現場に最初に到着したのは搭乗者たちの訪問を待っていたオックスフォード大学の哲学教授スティーヴンだ。車の中にはかれの教え子のウィリアムとアンナがいた。貴族でアンナの婚約者のウィリアムは死亡、酔って運転していたアンナは朦朧としている。アンナはオーストリア貴族の娘で留学中。ウィリアムもアンナも財産と身分を継承し、何不自由ない学生生活をおくっていた。ウィリアムの父の邸宅の場面はかれが何を継承しているかと一目で観る者にわかる。スティーヴンもオックスフォード大学のコレッジにオフィスを持ち、郊外に気の利いた家を持ち、思索の日々を送り、かれの立場で持ちうるものをすべて所有していた。アンナはウィリアムとの婚約の前にチャーリーというもう一人の教官とも秘密を共有していた。だれとだれがどの秘密を共有していたかということが作品最後でわかるというハロルド・ピンター（一九三〇―二〇〇八）脚本のとても頭を使う映画だ。ピンター自身も短時間だが作品に登場する。

おなじハロルド・ピンター脚本、ダーク・ボガード主演作品にも秘密の共有、そして横転ではなく逆転がテーマの『召使』（前出）がある。ボガードが仕事を求め、新装の家の主人の面接を受け、執事兼コックの仕事を始める。大邸宅のそれではなく、若い男性の主人の世話とロンドンの家のメンテナンスだ。主人の婚約者スーザンはボガードに危険を感じる。ボガードは妹と称する実は婚約者のベラをメイドとして家に入れることを主人に承諾させる。主人はメイドの誘惑にのり、酒におぼれる。婚約者のメイドの裏切りを知ったボガードは家を出るが、婚約者と別れ、主人のもとで再度働くことになる。主人と「召使」の関係は見る見る逆転し、主人の婚約者の直感が当たる。映画

『王子と乞食』（邦題のまま）とはまた別の交替劇だ。

映画『ゴスフォード・パーク』（二〇〇一）も大邸宅が舞台で、作中人物たちがそれぞれに秘密を共有している。邸宅の当主の秘密のひとつがとある偶然から表に出て、その後の人間関係が激変する。秘密の共有が爛熟社会の特徴とすら見える。アジアの開け広げな住宅では、あまりこの手の共有は成立しない。ベトナム映画『青いパパイアの香り』（一九九三）のムイが働きに出た家などがそうした空間の一例だ。ミステリーには密室ミステリーというものがあり、閉じた空間には秘密がつきもの、そして秘密を知るものどうしがその共有者となる。『ゴスフォード・パーク』はカントリーハウスのからくりのよくわかる作品だ。執事やメイドがからくりドアのようなところからいきなり姿を現す。裏方のかれらは裏の通路や階段を使って邸内を移動する。邸宅の主人は邸内のある人物と秘密を共有し、それがふとしたことから露になったとき、家族関係は次のステージに進む。

密室にもいろいろある。まずはカントリーハウスの三桁にならんとする個々の部屋。ホテル、病院、劇場、など。映画『オリエント急行殺人事件』（一九七四）で殺害された男性のコンパートメントも、外から入った形跡がない、外の雪に足跡はないということから密室だ。この車両のすべての乗客もそれぞれの犯行時それぞれのコンパートメントにいたというのだから密室にいたことになる。それが監視カメラの時代になり、そういうミステリーも出にくくなった。大英博物館の前庭にこの車両が一両展示されていたことがあった。デペインズマンの手法の極みだ。

『進歩の前哨基地』（一八九六）と訳されるジョゼフ・コンラッド（一八五七―一九二四）の中編の〝進歩〟の原語は「progress」だ。こういうタイトルのつけかたの背後には「前哨基地」の先に「進歩」が欠如しているという考えがあると見て取れる。コンラッドの中編では、もうひとつ、『秘密の共有者』（一九一〇）と「共有」と「秘密」というふたつの好奇心をそそることばをタイトルに入れた作品がある。何を「共有」するかは「秘密」と明示されているものの、「だれが」というところが当初は謎だ。

コンラッドの「秘密」では『密偵』（一九〇七）という大作があり、原題は*The Secret Agent*（シークレット・エイジェント）という。もとより作品の主人公は〝007〟のジェイムズ・ボンド風の人物ではなく、ロンドン、ソーホーの小さな店でこまごまとしたモノを売りながら、家庭の問題をいくつもかかえ、目立たないように生活している。私生活のわからないエイジェントがまずいて、それから読者が生活はどうなっているのかと関心をもつというつくりではなく、最初にどっと現実的生活が提示され、その人物が実はという順で物語は展開する。サマセット・モーム（一八七四―一九六五）の『アシェンデン』（一九二八）にも通じる秀作だ。

コンラッドにはさらに『闇の奥』と訳される*Heart of Darkness*がある。「闇の中心」ということだ。この作品はフランシス・コッポラ監督、マーロン・ブランド主演の映画『地獄の黙示録』に継承されている。

秘密の共有は、現代映画にもしばしば見られる。『神の見えざる手』（二〇一六、原題『ミス・スローン』）というアメリカ映画。日本ではわかりにくいロビイストという職業を持つ女性を主役にしている。ロビイストは議員に働きかけ、法案の賛否に下準備を行う。選挙でも結果を左右する。ミス・スローンにはなんとしても通したい法案があり、長いストーリーを構築してその実現へと邁進する。ひとりの秘密の共有者を選ぶ。作品最後の十五分間にミス・スローンの構想の全貌がわかる。

作品の舞台と土地

ジョージ・エリオット（一八一六―一八八〇）は作品のすべてが翻訳されているものの、研究者をのぞき、一般読者にはなじみがない。ひとつには、かの女の後期の作品には抽象的な議論が多いこと、ひとつには作品ごとに舞台が変わるので、どの作品も大方ロンドンに設定していたチャールズ・ディケンズ（一八一二―一八七〇）などと比べれば、最初はわかりにくいところが関係していよう。地方の牧師館あたりがまず舞台であったが、『ミドルマーチ』（一八七一―七二）は地方都市全体、『ダニエル・デロンダ』（一七九八）はヨーロッパと、かつては日本の読者に想像で補いきれない場所が多かった。ところが事情は変化した。『ロモラ』（一八六三）の舞台はイタリアのフィレンツェだが、ロンドンやパリよりも先に行ったという経験を持つ日本人読者も出てきた。

ヘンリー・ジェイムズ（一八四三―一九一六）の作品は多く映画化されている。アメリカというヨーロッパの外から来た人物の見るヨーロッパは、それだけいっそう美化されている。これは遠くにある土地、まだ慣れぬ土地に対する憧憬につながる。詩人S・T・コールリッジ（一七七二―一八三四）の『クブラ・カーン』（一七九八）や、若くしてなくなったブルース・チャットウィン（一九四〇―一九八九）の『パタゴニア』（一九七七）が想像をかきたてるのは、その描く土地が、イギリスの読者にも日本の読者に耳慣れぬ土地であるからだ。イタロ・カルヴィーノ（一九二三―一九八五）の『見えない都市』（一九七二）で、ヴェニスから絹の道を通ってやってきたマルコ・ポーロ（一二五四―一三二四）の語る諸都市の描写にフビライ（一二一五―一二九四）が釘付けになるのも同じ理由による。ウィリアム・ゴールディング（一九一一―一九九三）の小説にはもう少し広い人類の運命に関わる内容の『後継者たち』（一九五五）という作品がある。だれが生き残るのかという大問題が提起されている。

ディケンズ作品とその映画

先を急ぎすぎた。十九世紀にはまだまだ大きな作家たちがいる。ディケンズには所有をめぐるわかりやすい作品がいくつもある。

八十年代から古典の映像化も進んだ。英文学の流れの真ん中に占めているような大きな作家ディケンズの最初の長編『ピクウィック・ペイパーズ』（一八三六―一八三七）が映像でその内容を確かめられるようになった。著者の学生時代の一九七十年代には、横文字と時々挿絵の載っているペンギン版あたりで、作中人物や事件に想像をめぐらすしかなかった。だからBBC版の映像を見ると感慨深いものがある。当時の誤解に赤面することもあれば、意外なことに、ことばだけでもそこその理解をしていたと思い至り、しばしDVDを止めることもある。映像作品を『ピクウィック・ペイパーズ』から『エドウィン・ドルードの謎』（一九七〇）までディケンズが書いた順に見ると、所有、継承、交換、共有のすべてが、またそのひとつ、ふたつが、大きな川の流れのように動いていった様がわかる。

『デイヴィド・コパフィールド』

BBCのテレビドラマ『デイヴィド・コパフィールド』（一九九九）は原作（一八四九―一八五〇）同様、さまざまな土地や人が登場し、長時間の作品ながら、飽きることはない。カンタベリー、ヤーマス、そしてロンドン。女性ではエミリー、アグネス、そしてドーラ。喜劇的人物はミコーバー氏がひとりで何人分も引き受けている感がある。悪漢ではユライア・ヒープとステアフォース。視点の問題を小説に持ち込み、十九世紀の作中人物を「ぶくぶくぶよぶよのモンスター」と形容したヘンリー・ジェイムズや、ディケンズの作中人物を「フラット・キャラクター」と表現したE・M・フォースター（一八七九―一九七〇）や、「内部をごらんなさい」と言ったヴァージニア・ウルフ（一八八二―一九四一）などモダニズムの作家たちのことばを、ペゴティもミコーバーも一息で吹き飛ばしかねないほどの活力に満ちている。ベッツィ・トロットウッドの破産（そして回復）は所有という重要な問題に、ペゴティが夫から残される多額の金は継承という重要な問題に関わる。

また、ミコーバーの

Annual income twenty pounds, annual expenditure nineteen and six, results hapiness.
Annual income twenty pounds annual expenditure twenty pounds ought and six, results misery.

という台詞は、市場原理のなか、交換の仕方を誤ると手ひどいことになるという交換の重要性に、デイヴィドとアグネスが行き着いた感情の立脚点は兄妹の愛とデイヴィッドの形容してきた感情の共有にあるという問題の重要性に通じる。この大傑作の映画には不思議なことがひとつある。作家の自伝であるこの作品には、書くことについての苦しみが表現されていないことだ。映画はさらりと初めての出版に触れるのみ。実はそこがこの作品の面白みでもある。ただし作品を開くと焦心の日々がつづられており、作家修業中のヨーロッパ滞在も魅力的に描かれていた。ディケンズの時代は十九世紀。書くことについての自意識は往々にして伏流と化していた。

二十世紀や二十一世紀の作家の自伝であれば、書くことほど重要なことはないはずで、ナイポールやウディ・アレンやイシグロもそれを強く意識している。デイヴィドにとっては、人生があまりに事件に満ちているので、それを次々に語ればよく、書くという行為に自省的である必要がなかったのではないか。メタフィクション的思考はローレンス・スターン（一七一三―一七六七）の『トリストラム・シャンディ』（一七六〇―六七）の時代に特有のものだったのかもしれない。ディケンズの活躍した時代は、それほど現実が目まぐるしく変化したとも考えられる。あるいはそのように作家や読者が感じた時代とも。

『困難な時世』（一八五四）の映像作品のタイトルにはいくつかの訳語があるが、ここではBBC版の映画（一九九四）タイトルを踏襲する。教育者グラッドグラインドの「事実」こそすべてという方針のもとに育った、ルイーザ、弟のトム、そして交換経済への過度な崇拝者ビッァーが、大人になった時、件の方針の限界を自らをもって証明してしまうという皮肉な話。ルイーザは夫で銀行家のバウンダビーと何一つ共通するものを持たず、結局、幼馴染のサーカス団員の娘セシリアと後半生を生きる。厳格な父のもとで育ったトムは賭博に入れ込み会社の金庫の金に手をつける。すべて損得勘定のビッァーは、自分の役に立たないと知ると、バウンダビーさえ裏切る。アルコール中毒に陥った妻と妻の看病も引き受けるレイチェルの板挟みにあうブラックプールは、会社と労働組合との板挟みにもあい、あやまって炭坑に落ちて命をおとす。ディケンズが先行作品で見せたユーモアのかけらもない。

『荒涼館』

『荒涼館』、『リトル・ドリット』、『われらが共通の友』という三傑作のＢＢＣのドラマシリーズはいずれも八回、四時間を越える作品なので、原文で読み終える、あるいは翻訳で読み終えるほどの疲労感はないとしても、耳には英語、目には字幕という世界で、観終えるのにとても骨が折れる。一シリーズ観て、それだけの価値のあることを十分に理解できても次のシリーズに手を伸ばすまでには時間がかかる。

それだけの価値とは、描かれた世界から有り余るほどのことが学べるからで、それを文字にして列挙しても意味がないし、興ざめですらある。疲労感とはそれぞれの作中人物の生のリアリティを前にそれがフィクションであることを忘れ、かれらに起こるひとつひとつの事件を自分の身に起こったことのように感じてしまうことから来る疲れだ。

四時間以上であるからエドガー・アラン・ポーの言うワン・シッティング（一回座った状態）で観終えることはかなわず、途中で視聴者はどうしても自分の現実に戻される。ところが作品世界も現実にまさるともおとらず過酷なので、現実と作品世界が融合し、疲労困憊するのだ。それほど疲れるなら観なければと言われるかもしれないが、観て疲れたそのあとのほうが、たしかに現実世界を見る力がついているので、やめられない。

『荒涼館』はまず孤児として育てられたエスタ・サマソンの物語として進む。エスタは作品冒頭でエイダ・クレアのコンパニオンとして登場する。そこにリチャード・カーストンという働く気のない青年も加わり、かれらを庇護するジャーンディス氏のもと荒涼館で生活を始める。エスタにはとくに将来のあてがない。淡々と館の家事をこなす。エイダとリチャードには遺産が手に入ればというあてがある。この四人は作品のなかですぐに動き始める。そして何人もの作中人物がからみあってくる。デッドロック家の奥方もそのひとりで、Xファイルの女優ジリアン・アンダーソンが名演技を披露する。エスタに恋する弁護士事務所のガッピーが、エスタの素性に肉薄し、最後はバケット警部という人物の活躍で閉じる。筋はそうだが、二けたの主要人物のそれぞれの思惑や欲が絡み

ドラマ『荒涼館』のメディアジャケット
監督：ジャスティン・チャドウィック、
　　　スザンナ・ホワイト
制作：BBC（テレビドラマ）、2005年

ながらことは進むので、一話観終えては考えるという具合になる。かつて英語で、その後日本語で読んだ印象と比べて特に気になるのは、エスタに対する愛についてのジャーンディス氏の納得のしかた、スモールウィードという人物の悪辣ぶり、と挙げだしたら切りがない。英語で、日本語で、映像でと別々の作品に三作触れたかのような気にさえなる。

『リトル・ドリット』

こちらは負債者監獄という見たこともない場所が舞台の中心となるので映像の力の強さが理解できる。ヒロインのエイミーは負債者監獄で生まれ、そこで成長し、お針子として監獄のそとの世界に通う。かの女を雇うのはクレナム夫人という何を考えているのかわからない人物で、外国から二十年ぶりで帰ってきた息子と何やらもめている。息子アーサー・クレナムらの尽力で、第二部、エイミーの父親は一転して大金を手に入れ、ふたりの娘ファニーとエイミーのために社交界に出ようとする。ミス・ジェネラルという指南役をつけて娘たちに礼儀作法を仕込もうとする。この人物が実にあやしい。一家はアルプスを越え、ヴェネチアに逗留する。そこでさまざまな紳士淑女と出会う。

ファニーはますます派手に、父親はますます尊大になるなか、エイミーひとりがこの環境になじめず、その心境を手紙にしたためて、アーサー・クレナムに差し出す。アーサーに自分の内面を共有してもらいたいと思う。アーサーもエイミーの父もタイト・バーナクルという銀行家に投資をまかせていた。このつねに暗い、笑わぬ男がふたりの運命を変えてしまう。『リトル・ドリット』も作中人物たちに自分のほとんどわからぬところでお金が自分を支配しているということを読者に思い知らせる作品だ。ただ一九世紀を舞台とする作品にあっては、ご都合主義も説得力を持たないわけではなく、アーサーは共同経営者のダニエル・ドイスに助けられて、ようやく自分の場所を確保する。そこからまた働き詰めの格闘が始まるとしても。

『われらが共通の友』

これはもう二十世紀の物語のように見える。いや、作り手たちが二十世紀を意識しているということかもしれない。ロンドンのごみ収集で財を成したボフィン氏を中心とする話、テムズ川に流れる死体をボートに引き寄せ金目のものを集める人々の話、変装して恋敵をなきものにしようとするブラッドリー・ヘッドストーンの話、かれを脅し、証拠をつきつけるロジャー・ライダーフッドの話と、ディケンズ最後の完成作品だけあって、一度読んだだけでは何がなにやらわからないのと同様、その映像作品も一度観ただけではわからず、途中、なんども考えなければならない。三作もここに至るまで、ディケンズは謎の処理にますます磨きをかけた。『荒涼館』のエスタの親はだれであるのか、『リトル・ドリット』のエイミーとその家族が負債者監獄に入ったわけは、と進んできた作品に謎を仕込むというからくりが、ここに来て、謎を解く人物としてライダーフッドという悪漢まで一役演じることになる。

ディケンズの三作については、他の作品も含めたうえで、推理小説の系譜という文脈のなかに置き直して考える必要がある。そこで問題となるのは、文学において答えの出ることと出ないこと、推理小説において答えのでることと出ないこと、この四者の関係についての考察ということになる。ある種の作品は犯人がわかれば閉じるものとはいえ、犯人がわかっても解決にはなっていないことを考える文学の観点もまた別の解に至る道を開く。

『エドウィン・ドルードの謎』

映画『エドウィン・ドルードの謎』はディケンズ最後の未完成作品の映画化で、ミステリー風の作品づくりが加速している。クロイスタラムというロチェスターをモデルとする町の教会の聖歌隊指揮者のジャスパーがアヘン窟で夢を見る場面から始まる。かれは潜在的に甥のエドウィンを葬り去ろうとしており、エドウィンの親が決めた婚約相手ローザに屈折した愛情を抱いている。ローザはエドウィンとの婚約を解消し、ジャスパーの手を逃れるべく、隠れるが、唯一の理解者でスリランカ（作品中ではセイロンと表現される）出身、エドウィンの父が現地で設けた男女双子の女性と内面の共有に至る。自分を理解する相手を探し、自分が理解できる相手を探すというテーマ、真の愛情といったテーマは、この時代に、この作品がすでに二十世紀に手をかけていると見える。十九世紀イギリス、ヴィクトリア朝の女性作家というと、『嵐が丘』（一八四七）のエミリー・ブロンテ（一八一八―一八四八）や『ジェイン・エア』（一八四七）のシャーロット・ブロンテ（一八一六―一八四八）の名前を挙げる人は多い。ブロンテ姉妹で興味深いのは、姉妹たちが家のなかで時間を共有し、自分たちだけが読者であるような書き物を書くことで、創作修行をした点だ。『ジェイン・エア』は『ジェーンとキツネとわたし』（二〇一五）というタイトルのグラフィック・ノヴェルというジャンルにまで継承されている。

『ザルドス』

二十世紀以降の所有、継承、交換、共有をみるまえに、一九七四年のSF未来映画『ザルドス』（一九七四）に触れたい。主役は「００７シリーズ」で有名なショーン・コネリー（一九三〇―二〇二〇）。ゼッドという作中人物名でマッチョな肉体を前面に押し出して好演した。作品の一番外側の枠組みを説明するのはボルテックスという理想郷に住む男アーサー・フレインというエクスターナルス（不老不死の人々）。かれはザルドスという輸送・移動装置を操る。その姿は巨大な顔の石像で、外界アウトランドで小麦生産に携わる獣人ブルータルスにはザルドスを神と信じ込ませている。小麦の収穫の時期がくるとかれはザルドスに乗り、アウトランドに向かう。そして獣人の一部ながら武器を持ち繁殖を許されたエクスターミネイターズという撲殺者たちに武器を与え、その交換物として小麦を持ち去る。獣人は石像ザルドスの前にひれふす。エクスターミネイターズのゼッドとその仲間は獣人を殺し、人口制限をしながら、何か全体の構図がおかしいと疑問をいだく。ゼッドは廃墟の図書館の本を乱読し、エクスターミネイターズのゼッドは廃墟の図書館の本を乱読し、エクスターナルスを凌ぐほどの知識を得る。収穫の時期、現れたザルドスが持ち去る穀物のなかに隠れ、ボルテックスに到着し、不老不死を手に入れ倦怠の日々を送るエターナルスに好奇の眼差しで見られる。シャーロット・ランプリング（一九四六生）演じるコンセーラはゼッドに危機感を募らせ、ただちに殺すよう採決を求める。遺伝学者アナは実験と調査という任務を逸脱し、ゼッドを所有しようとする。

ここまでの設定や展開でまだ作品全体の三分の一程度だが、既に所有、継承、交換、共有というテーマが色濃く表れていて、あとの三分の二はさらに観る者の想像を超える仕上がりとなっている。ブルータルスは肉体の継承を禁じられている。人口抑制のため、エターナルスから得た武器を持つゼッドたちに殺される。エターナルスは徹底した投票制度を持ち、労働も一緒、食事も一緒という共同、共有の仕組みのなかで生きている。だがその生活に倦み、こんな生活はいやだと言い始めるフレンドは、投票により反逆者の烙印をおされ加齢するという刑（死刑はない）を受け、老人たちと暮らすことになる。アーサー・フレインが担当する武器と小麦の交換は、武器と象牙や資源との交換を下敷きにしたジョゼフ・コンラッドの『闇の奥』（一九〇二）の世界から、武器とナイルパーチの交換を下敷きにした『ダーウィンの悪夢』（二〇〇五）のヴィクトリア湖周辺の世界にまで繋がる。

不老不死の生命と引き換えにエクスターナルスの手に残ったのは、肉体の継承への意志の喪失、性的衝動の喪失、唯一の望みが死にたいという願望であった。不老不死の世界ボルテックスをつくった男は死ねないでベッドに横たわったままだ。トム・ハンクス（一九五六生）が演じる刑務官がスティーヴン・キング原作の映画『グリーンマイル』（一九九九）のなかで無実を主張する男を電気椅子で処刑し、その報いとして、同世代の人々が次々亡くなるなか、死ねないと苦しむ姿に通じる。難解な『ザルドス』が、半世紀近く前の作品ながら、きわめて今日的な問題をはらんでいることは以上からも明らかだが、ボルテックスには人工知能の普及が加速した世界の姿すら垣間見える。

『未来惑星ザルドス』の映画パンフレット
（20世紀フォックス、東宝、1973）

コンセーラ扮するシャーロット・ランプリング
（同上パンフレットより）

第一章脚注

1 時代劇の衣装を身に着けたケネス・ブラナーから、ウディ・アレン監督（一九三五生）の『セレブリティ』（一九九八）に登場するジャケット姿でマンハッタンを往来するブラナーに目を転じると、その変幻ぶりに、変わることそのものへの考察までしたくなる。ブラナーのここでの役は高校の同窓会に出て、自分だけが変わっていない、幼いままだと嘆く男の役だ。

2 階段の本、窓の本を出したところで、本書の関心に近いさらに何冊かの写真集に触れておこう。『世界の美しい市場』（二〇一七）はベルギーのグラン・プラスなど、いつまでも眺めていたいというような空間を満載している。『世界の美しい窓』（二〇一七）、『世界の美しい博物館』（二〇一六）、『世界の美しい図書館』（二〇一四）、『世界の美しい書店』（二〇一四）という本もある。書店があまり美しすぎると人は本を読むことを忘れるのではないかとも思えてくるが、現実の美しい書店にも負けぬ内容の本をつくろうという本の制作者たちの意欲を刺激するということもあろう。読者のほうは、この美しい書店を忘れさせてくれるような内容の本を手に早く家に帰りたいと思う。

3 ホームズが意外なところで継承されていたという次の例に、はじめは驚く人も多いだろう。というのも、長谷川一夫（一九〇八—一九八四）と淡島千景（一九二四—二〇一二）のおりなすテレビ・ドラマの『半七捕物帳』（一九六六—一九六八）は、もう明治維新もそう遠くないというころの時代設定とは言え、まぎれもなく鎖国時代の江戸の具体が横溢する世界であったからだ。ところが作者岡本綺堂（一八七二—一九三九）は原作の冒頭でシャーロック・ホームズの世界に言及する。老いた半七に若旦那が昔の事件について話を聴くという設定が、作品の洗練の度を増す。

4 ヨーロッパの書店には、本を書棚におしこんで並べるというより、オブジェとして店の内装と一体化して売るところが多い。窓を大きくとり、外から見ると窓枠が絵のフレームの役割を果たしている。ミラノのホエプリ書店、リスボンのベルトラン書店、ロンドンのハッチャーズ書店。ウディ・アレンの映画に出てくるマンハッタンの書店もそうだ。書店員たちは、本の中の活字の群れを売っていることに加え、モノとしての本と売っている。電子書籍と工芸品に二極分化するのではとささやかれている日本の事情とはずれがあり、本の活字の紙部分を残し、改めて自分好みの装丁にするという伝統のある地域の話だ。

第二章

ウディ・アレンのフィルモロジー

アメリカ文化の体現と捕捉

フィルモロジー半世紀

二十世紀後半から今日までの文化の変遷や現代アメリカ文化史という大きな枠組みを理解するうえで、ウディ・アレンの作品縦覧は欠かせない。十九世紀イギリスのかなりのことがディケンズの作品や挿絵を見れば理解できるように、十八、十九世紀の江戸のかなりのことが北斎の作品を見れば理解できるように、十九、二十世紀の東京のかなりのことが漱石作品を読めば理解できるように、文学や版画とは別のウディ・アレンの映像作品に接すると二十世紀後半から二十一世紀のアメリカとヨーロッパに理解が及ぶ。そこで同時代を生きている読者や著者の個人史に照らしながら、アレンの作品、仕事ぶりの意味を捉えたい。まずはアレンの作品年譜を掲げる（50～51頁参照）。アレンのフィルモロジーは二十世紀後半から二〇一〇年代までの半世紀以上におよぶので、これを軸にあらゆる方向に思考を広げることができる。

ウディ・アレンについて語り出したら切りがない。『アニー・ホール』の作中人物たちの生活ぶりの洗練、『マンハッタン』の橋の映像美。そして今という時代にあって興味深いのは、かれの作品群がそれぞれの時代を言い当てた年表のように観ることができるという点だ。その年表を受け入れるか否かは別として、これを観ることで時代認識についての議論を始められる。

たとえば『スリーパー』（一九七三）。アレン扮するロボットのぎこちなさはチャップリンのぎこちなさにまで通じそうだ。主人公は一九七三年に冷凍睡眠に入ったという想定で、二百年後の二一七三年に目を覚ます。というか覚まされる。そこには独裁国家とこれに対抗する組織があり、主人公は後者に組み込まれる。「クローン」、「総統」が話題となり、未来の車が走る。いま観ても古くない。

著者の記憶に残る一九七〇年代『ニューズウィーク』の映画評に載っていた『スリーパー』のアレンの写真はこの年譜にぴたりとおさまり、その時の自分の姿までも甦る。あやしげな英語力さえも。年譜にはさまざまな読み方がある。作品の舞台に焦点をあてて、ロンドン、パリとおさえると、アレンの目がどこに注がれてきたか、その変化の様子がうかがえる。ほかにも読み方はある。ルイーズ・ラッサー（一九三九生）の時代、ダイアン・キートン（一九四六生）の時代、ミア・ファーロー（一九四五生）の時代という具合に、女優に着目する読みもある。ジュディ・デイヴィス（一九五五生）の存在感も忘れ難い。大森さわこに「アレンは女で回っている」（『ウディ・アレン』、河出書房新社、二〇一七）という論考がある。遠山純生のように「作家的評価の変遷」（同書所収）に焦点をあてる論考もある。『インテリア』のように、イングマール・ベルイマンの影響の濃いと言われる作品を選び出すこともできる。エリック・ラックスの大部な『ウディ・アレンの映画術』（井上一馬訳、清流出版、二〇一〇）を座右に、章題に沿って「アイデア」、「脚本」、「キャスティング、俳優、そして演技について」、「撮影」、「監督業」、「編集」、「背景音楽」、「映画人生」について考えることもできる。

『トラブル・ボックス / 恋とスパイ大作戦』（一九九四）
『ブロードウェイと銃弾』（一九九四）
『誘惑のアフロディーテ』（一九九五）
『サンシャイン・ボーイズ　すてきな泥棒』（一九九五）
『地球は女で回っている』（一九九七）
『ワイルド・マン・ブルース』（一九九七）
『世界中がアイ・ラヴ・ユー』（一九九八）
『アンツ』（一九九八）
『セレブリティ』（一九九八）
『インポスターズ』（一九九八）
『ギター弾きの恋』（一九九九）
『ヴァージン・バンド』（二〇〇〇）
『CIA の男』（二〇〇〇）
『おいしい生活』（二〇〇〇）
『スコルピオンの恋まじない』（二〇〇一）
『さよなら、さよならハリウッド』（二〇〇二）
『ウディ・アレン　映画と人生』（二〇〇二）
『僕のニューヨークライフ』（二〇〇三）
『メリンダとメリンダ』（二〇〇四）
『マッチポイント』（二〇〇五）
『タロットカード殺人事件』（二〇〇六）
『ウディ・アレンの夢と犯罪』（二〇〇七）
『それでも恋するバルセロナ』（二〇〇八）
『人生万歳』（二〇〇九）
『恋のロンドン狂騒曲』（二〇一〇）
『ミッドナイト・イン・パリ』（二〇一一）
『映画と恋とウディ・アレン』（二〇一一）
『ローマでアモーレ』（二〇一二）
『ブルー・ジャスミン』（二〇一三）
『ジゴロ・イン・ニューヨーク』（二〇一三）
『マジック・イン・ムーンライト』（二〇一四）
『教授のおかしな妄想殺人』（二〇一五）
『カフェ・ソサエティ』（二〇一六）
『ウディ・アレンの６つの危ない物語』（二〇一六）

ウディ・アレンの作品年譜

『何かいいことないかい子猫ちゃん』（一九六五）
『どうしたんだい、タイガー・リリー？』（一九六六）
『〇〇七　カジノロワイヤル』（一九六七）
『泥棒野郎』（一九六九）
『水は危険・ハイジャック珍道中』（一九六九）
『ウディ・アレンのバナナ』（一九七一）
『ボギー、俺も男だ』（一九七二）
『ウディ・アレンの誰でも知りたがっているくせに
　　　　ちょっと聞きにくいSEXのすべてについて教えましょう』（一九七二）
『スリーパー』（一九七三）
『ウディ・アレンの愛と死』（一九七六）
『ウディ・アレンのザ・フロント』（一九七六）
『アニー・ホール』（一九七七）
『インテリア』（一九七八）
『マンハッタン』（一九七九）
『スターダスト・メモリー』（一九八〇）
『サマー・ナイト』（一九八二）
『カメレオンマン』（一九八三）
『ブロードウェイのダニー・ローズ』（一九八四）
『カイロの紫のバラ』（一九八五）
『ハンナとその姉妹』（一九八六）
『ウディ・アレン会見レポート』（一九八六）
『ラジオ・デイズ』（一九八七）
『セプテンバー』（一九八七）
『ゴダールのリア王』（一九八七）
『私の中のもうひとりの私』（一九八八）
『ニューヨーク・ストーリー』（一九八九）
『ウディ・アレンの重罪と軽罪』（一九八九）
『アリス』（一九九〇）
『結婚記念日』（一九九一）
『ウディ・アレンの影と霧』（一九九二）
『夫たち、妻たち』（一九九二）
『マンハッタン殺人ミステリー』（一九九三）

カンヌ映画祭でのウディ・アレン
(©2016, Georges Biard)

ちなみにディケンズの長編の作中人物の数は、わき役のさらにわき役まで含めると、一作品三桁になる。ウディ・アレンの映画はそこまでに及ばないが、一作品五人から十人の記憶に残る人物が登場するとして、年一作品半世紀というキャリアを考えると、われわれは五百人から千人の作中人物に出会えることになる。たとえ同工異曲風の作品がトランプゲームの神経衰弱の同じカードのように見つかるとしても、似た作中人物の性格が深化していることもある。一作品五人としても、視聴者が接する人間の多さは、依然として大した数になる。

憧憬と時空間の移動 『ミッドナイト・イン・パリ』『アバウト・タイム』

ウディ・アレンというとニューヨーク、それもマンハッタンをすぐに連想しがちだ。それはある時代までの作品の印象で、今世紀にあっては作品の舞台はヨーロッパへと移る。アレンはパリに住んでみたいと真剣に考えたこともあったという。ロンドンが舞台の『マッチポイント』(二〇〇五)、『それでも恋するバルセロナ』(二〇〇八)、『恋のロンドン狂騒曲』(二〇一〇)、『ミッドナイト・イン・パリ』(二〇一一)、『ローマでアモーレ』(二〇一二)などの作品は、その日本語タイトルからしても、今更、殊更にヨーロッパか、という反応を呼びかねないが、そこはパリなど一九二〇年代が舞台で、実にうまく処理してある。

『ミッドナイト・イン・パリ』(二〇一一)はパリという場への志向と一九二〇年代という時代への

志向がうまく重なり興行的には大ヒットとなった。この作品でアレンは脚本家として監督として自らの憧憬を承知の上でその思いを増幅し、さらに観る者にも夢物語でよいというメッセージを発した。一九二〇年代のパリがいいのだと言い張って譲らない。

観客は二十一世紀からやってきた主人公の作家ジルと驚きを共有しやすい。作中人物としては、スコット・フィッツジェラルド[1]（一八九六―一九四〇）とその妻ゼルダ・フィッツジェラルド（一九〇〇―一九四八）。ジルはフィッツジェラルド夫妻に誘われて、もう一人の作家に引き合わされる。アーネスト・ヘミングウェイ[2]（一八九九―一九四〇）だ。

『フィッツジェラルド／ヘミングウェイ往復書簡』（後述）に取り上げられている書簡のなかで、ヘミングウェイが書いているガートルード・スタイン（一八七四―一九四六）の「先日の夜、ガートルード・スタインに会ったら、君のことを聞いてきた。君はぼくたちの中で、最も豊かな才能を持った作家だとかなんとか言っていた。それでももう一度君に会いたいそうだ」（ヘミングウェイからフィッツジェラルドへ、一九二九年十月二二日あるいは二九日頃）というフィッツジェラルド評から推し量れるような三者の、さらにそのまわりの芸術家たちの相互作用というものは、一見簡単に成り立ちそうに見えるが、時と場所が幸福なかたちで一致しないと起こりえない。

映画には画家も登場する。サルバドール・ダリ（一九〇四―一九八九）やパブロ・ピカソ（一八八一―一九七三）。ここに登場するダリは『天才画家ダリ』の学生館でガルシア・ロルカ（一八九八―

一九三六）やルイス・ブニュエル（一九〇〇―一九八三）に鍛えられる学生のダリではなく、すでに出来上がったダリ、ウディ・アレンの憧れの対象としてのダリだ。ピカソの愛人アドリアナ[3]に二十一世紀から来たギルは恋をする。詩人トマス・スターンズ・エリオット[4]（一八八八―一九六五）も出てくる。ジルはエリオットに会えて興奮し、自分が『プルーフロックの恋歌』（一九一九）の大ファンであると告白する。

こうしたアーティストを登場させる背景には、かれらと日々、創造行為について語れる環境にいたら、かれらと会食できたら、というアレンの憧憬と時間共有志向がある。憧憬はかなわぬものであるからこそ憧憬であり続ける。アーティストは詩や小説でこれらの憧憬を仮のかたちであっても現実化する。この作品でひとつ不思議なのは、かれら一九二〇年代のパリの芸術家たちが主人公に未来のことを質問しない点だ。アレンがそういうことを持ち出すと話が複雑になると考えたのか、あるいは一九二〇年代パリから見て、かれらの未来、つまり主人公はアレンの二十一世紀は取るに足らぬものと見たのかどうか。

『ミッドナイト・イン・パリ』にはもう一段、いや二段奥がある。ある日、ギルとアドリアナが歩いていると、向こうから馬車がやってくる。誘われるままに二人が乗ると、着いた場所は、一八九〇年代ベル・エポックのパリ。店にはロートレック（一八六四―一九〇一）、ドガ（一八三四―一九一七）、ゴーギャン（一八四八―一九〇三）がいた。ゴーギャンはのちにサマセット・モームが『月と六ペンス』（一九一九）で画家になった証券マンのストリックランドのモデルとした人物だ。これがひとつめの奥、さらにふたつめとはゴーギャンがベル・エポックにいながら、かつてのルネサンスにあこがれるという落ちがつく。自分の生きている時代ではなく、過去の芸術の最盛期の場を志向するということが、他の芸術家にも見られるという点が、この作品の主張だ。アドリアナにいたっては一九二〇年代を捨て、ベル・エポックにとどまると決め、ジルと別れる。ジルは現代のパリに戻り、そこで趣味の合う女性と再会し、雨に濡れたパリの歩道を歩く。ご都合主義そのものだが、それでも楽しい映画というのもそうあるものではない。

ちなみにこの作品は時間の移動がさりげなく、観るものにとって当たり前のように物語が二〇年代パリに移動するが、分類上は、『タイムマシン』や日本でもテレビで放映された『タイムトンネル』（一九六七）、喜劇映画『恋はデジャブ』（一九九三）と同様、時間旅行の枠で論じることができる。時がテーマの映画ならアレンの作品ではないが『アバウト・タイム～愛おしい時間について～』（二〇一三）がある。原題もその通りの英語で、時をタイトルの前面に出したということだろうが、時間についての考察よりも、むしろ父と息子、兄と妹、夫と妻という人間関係に力点がある。冒頭、主人公が自分の家族を紹介する箇所が一番よく、そのあと過ぎてしまった現実の失敗を、時間を戻すことでうまく修正するということに終始し始める。おもしろいのは父の毎日で、大学で教えていたが五十歳でやめ、息子の目から見て実に暇な余生を送っていたところだ。実は父も過去に遡る能力があり、よくその力を使っていたらしいことがあとでわかる。ある日、父は息子に自分の時間の過ごし方の一部を語る。ディケンズの作品を二度読んだと、こんなところでもディケンズが出てくる。

ありふれた場と個の場

『マンハッタン』『マッチポイント』『タロット・カード殺人事件』『サバイバー』

ウディ・アレンとダイアン・キートンの映画『マンハッタン』(一九七九)。アレンとペットの犬を連れたキートンがマンハッタンとクイーンズを結ぶクイーンズボロ橋の見えるベンチに腰をかける。アレンといえばこの場面で記憶している人さえいる。橋は車を通す。人を通す。橋のアーチは橋を支える機能を担うと同時にそれ自体で美しい。パリのアールヌーボー風のメトロの入口も、地下鉄の入口を示す記号でありつつ、それ自体として美しい。

ウディ・アレンのうまいところは、橋もメトロの入口も含め一見月並みと見える場をかれ独自のアングルでとらえている点だ。パリのエッフェル塔など絵画に描きつくされ、写真で撮りつくされているが、アレンにかかると新しいエッフェル塔に生まれ変わる。だれもが知っているという場であるということを利用しつつ、それを別のかたちで見せる。ローマもロンドンも。

作中人物たちの組み合わせに関してもそうだ。人物像を、一見すると月並みという誹りを受けかねないような処理でつくり上げつつも、実は、読者にそういうこともあるかもしれないと思わせる手法がかくされている。たとえば『マッチポイント』（二〇〇五）。角田光代は次にように表現する。

設定のいちいちがさりげなくユーモラスで粋で、かつ、深い。たとえば主人公の野心的な青年がアイルランド出身であり、彼がつきあうことになる一家がロンドンの上流階級であり、浮気相手が、美しさだけを武器に女優を目指しているアメリカはコロラド州の出身の女性、というすべてが、じつに巧妙で、強い説得力を持っている。どことなく泥臭いアイルランド青年、人を疑うことをまったく知らない上流階級家族、平気でアメリカ娘の恋人を捨て親の選んだ相手と結婚す

『マンハッタン』のクイーンズボロ橋

『マンハッタン』の映画パンフレットより
（1980年、日本ユナイテッド・アーチスツ株式会社）

る長男、感情をストレートにあらわすアメリカ人の女優の卵。これだけそろうと、どれだけベタな展開でも、いやベタな展開であればあるほど、観る側はすんなり、がっちり、ストーリーに入りこんでしまう。（角田光代「運という得体の知れないもの」『ウディ・アレン』河出書房新社、二〇一七）

作中人物本人の選択や努力の結果というより、むしろ運がその人物の人生を左右するという、人があまり口にしたがらないことをアレンはうまく表現している。それを角田が、言ってしまっても白けないかたちで説明している。アレンの脚本、俳優たちの演技、角田の言語化の三つが揃った典型を前に、観る者は映画や映画批評を構成するもののひとつひとつを確認したくなる。

映像ばかりではない。『タロットカード殺人事件』（二〇〇六）の舞台を地図で確認してみる。劇場パンフレットに掲載されている翻訳家野間けい子作成のロンドン地図を見ると、あたかも約束通りという著名なランドマーク[6]が並ぶ。もっともひとたびそこを訪れると、地図に大きく描かれているランドマークでさえ、絵地図やことばで表現されたそれとは異なり、そこはそれで見慣れた土地ながら個別感がただよっていると知る。

ところがジェームズ・マクティーグ監督の『サバイバー』（二〇一五）となると、ロンドンの一都市の地図から世界に舞台が移る。アメリカ大使館に派遣されたミラ・ジョヴォヴィッチ（一九七五生）演じる主人公の経歴の設定も、ミネソタ出身でスタンフォード大学からロンドン大学に二年留学と、土地勘が十分な人物となる。さもなければコードネーム「時計屋」という暗殺者に狙われ、アメリカ大使館からは追われ、ロンドン警察に追われているなかで、いくら出きすぎの物語とはいえ、ロンドンからマンハッタン、タイムズスクエアまで移動は不可能だ。主人公はアメリカ大使館、ケンジントン・パーク、ソーホーの中華街、レスター・スクエアのオデオン座の前ランカスター・ホテル、セント・パンクラス駅、クイーン・スクエアと目まぐるしく場所を変えるが、地下鉄というローカルな手段で移動せざるをえない。

アレンは作中人物を一枚一枚のタロットカードのように操る

『タロットカード殺人事件』の映画パンフレットより（2007 年、東宝株式会社）

現実と虚構　『カイロの紫のバラ』『それでも恋するバルセロナ』

ジョン・バージャーが『ものの見方』（一九七二）を発表したころ、アメリカのタイピストがおかれていた立場としてはふたつを想定すればよかった。昼間、タイプライターの前で延々とタイプを打つ。夜になると、あるいは休日になると、モノに包囲されて、消費を促される。つまり会社を通じてのモノの生産と個人としての消費活動の間で引き裂かれているというわかりやすさがあった。新聞の紙面にしても、片や犯罪を報じる記事があるかと思えば、その下に娯楽へといざなう広告が掲載されているといった程度の分裂で済んでいた。ところがネット社会ともなると、人はモニターのなかで最新の現実のニュースや映像を見たあと、同じモニターで映画というフィクションの世界に入ることができる。人が移動するのはもはやふたつの世界ではない。いくつもの世界が人を待ち受けている。人は見た目には自由な選択を行っているかに見えるが、実はある傾向の対象に移動しているだけなのかもしれない。二十一世紀はそういう時代なので、舞城王太郎の『阿修羅ガール』（二〇〇三）にタレントのグッチ裕三が登場しても、前田司郎の『恋愛の解体と北区の滅亡』（二〇〇六）で唐突に「宇宙人」や北野たけしが登場しても驚かなくなった。現代人が小説に登場するのだから、司馬遼太郎（一九二三―一九九六）の小説に歴史上実在した人物が登場するのとは状況が違う。

人格が二つであれ四つであれ、それは現実の人間がそのように分かれているということで、現実と虚構の二つの世界に生きているというのとは話が別だ。

一方、過酷な現実を前に、芸術にのめり込むという場合もある。『カイロの紫のバラ』（一九八五）の場合はミア・ファーロー演じる女性主人公セシリアが映画にのめり込む。現実は過酷だ。夫は暴力をふるい、酒とギャンブルにおぼれ、妻がレストランのウエイトレスをして得た金をせびる。そんな妻の唯一の慰めは映画で、『カイロの紫のバラ』を何度も観ては俳優の台詞まで暗記してしまう。映画の作中人物で探検家のトム・バクスターは、今日も映画を観に来てくれているというので、セシリアに話かけ、挙句の果てに、スクリーンの中から飛び出して観客席のほうにやってくる。そしてセシリアにお礼を言い、スクリーンの外の世界、つまり現実について教えてほしいと言い出す。二人は恋に落ちる。作中人物のひとりである探検家を欠いては映画が進まない。映画製作会社は事態の収拾に乗り出すが、うまくゆかない。そのうち作品中の探検家トム・バクスターを演じていた現実の俳優ギル・シェファードが現れ、探検家につめよる。現実の俳優もセシリアに恋をする。映画の中の人物と現実の人物という二人の男性に迫られたセシリアは逡巡の末、現実の男性を選ぶ。だが、という話だ。映画世界は現実を模して造られているのだから、事の論理は同一だが、境界の両側を自由に行き来すると矛盾が生じる。それで観客は監督や脚本家がどう落ちを付けるのであろうかと混乱する。現実と虚構は似ていて異なるので始末が悪い。しかし映画監督、あるいは小説の作家は、現実ではない、現実ではかなうことのない虚構世界を作り続ける。現実が過酷であればあるほど。

芸術はほどよい距離感を保ちさえすれば、現実を活性化しうるし、生きがいも提供する。過剰となれば現実を破壊する。ウディ・アレンの映画『それでも恋するバルセロナ』（二〇〇八）で一番強烈な印象を残すのは、その過剰を演じ切ったペネロペ・クルス（一九七四生）の演技だ。登場する時間は、スカーレット・ヨハンソン（一九八四生）よりも短いというのに。

出会いと別れ

『スコルピオンの恋まじない』『ウディ・アレンのバナナ』『シャーロット・グレイ』『ブルージャスミン』『メリンダとメリンダ』


『スコルピオンの恋まじない』（二〇〇一）は魔術師に催眠術をかけられたふたりの人物が、それぞれ別の人格になるという話だ。ウディ・アレン演じるブリッグスは保険会社の調査員で、ヘレン・ハント（一九六三生）演じるヴァッサー大学卒業のミス・フィッツジェラルドの断行する人員削減の対象になりそうな人物だ。そのかれが催眠術にかかりミス・フィッツジェラルドに恋する。

『ウディ・アレンのバナナ』（一九七一）は、恋人と別れた男がアメリカを離れ外国で冒険をするというドタバタした映画だが、その恋人の別れの理由が、二人の間の「give」と「receive」がうまくいっていないというものだった。あなたにはなにかが欠けている、それがなんであるのかわからないけど、と告げて去る。

出会いと別れについて二作ばかりアレンから離れる。『シャーロット・グレイ』（二〇〇一）のシャーロットは第二次世界大戦後、かつての恋人のもとにはもどらず、命がけの時間を共有したフランス人のもとに向かう。シャーロットはイギリス時代とフランス時代のふたつの生を経験した。それぞれの生にはそれぞれの時間を共有した男性がいた。そして後の生の男性との生活を望みイギリスでの生活を捨てた。

共有した秘密を戦後は忘れ去るようにと強制される人々もいる。『イミテーション・ゲーム』（二〇一四）は第二次世界大戦中のドイツ軍の暗号「エニグマ」を解読する天才的数学者とその同僚の物語だ。暗号とは共有する側がそれを保持し、決して相手方に漏れてはならないもの、相手方はその解読が死活問題となる。さらに暗号が解けたことさえも相手に知られてはならない。そういう解読組織が編成されていたことも、たとえ戦争が終わってからでさえ、機密事項だ。作家と作家が往復書簡を交わし、いずれそれが活字になって読者に供されるという世界ではない。

アレンの『ブルージャスミン』（二〇一三）でケイト・ブランシェット（一九六九生）の演じるジャスミンにも二つの世界があるが、事態はさらに深刻だ。かの女は今、ほとんど無一文になり、妹のところに転がり込んでいる。投資家の夫は逮捕されている。ジャスミンは結婚当時のいわゆるセレブな生活で作り上げた自分と、妹との新しい現実の中の自分の間を、頭の中で行ったり来たりしているので、ときどき、今の環境のなかで、かつての環境でしかありえないことばを発し、回りを仰天させる。『カイロの紫のバラ』のセシリアが持つ現実世界と映画の中の世界とはまた別の二つの世界をジャスミンは没落後、今だもって往復している。

『メリンダとメリンダ』(二〇〇四)となると、冒頭、映画関係者が会食をし、メリンダという作中人物をつくり、どのような境遇におくかを議論する。結局、二人のメリンダができあがる。

他者になること

『カメレオンマン』『ウディ・アレンのザ・フロント』『さよなら、さよなら、ハリウッド』

さらに過激な作品もある。『カメレオンマン』(原題は『ゼリグ』、一九八三)だ。ウディ・アレン演じるこの架空の人物ゼリグは人に受け入れられたいがために、他人に変身してしまう。かれの治療を引き受け、研究するのが、ミア・ファーロー演じるユードラ・フレッチャーで、治療は成功し二人は恋に落ちる。『反解釈』(一九六六)などの著者スーザン・ソンタグ(一九三三—二〇〇四)、『学生部長の十二月』(一九八二)の著者ソール・ベロー(一九一五—二〇〇五)、批評家アーヴィング・ハウ(一九二〇—一九九三)といった実在の批評家が登場し、ゼリグという人物についてコメントする。[7]フレッチャーの治療が進み、ゼリグは他人になることをやめ一時は自分を取り戻した。だがフレッチャーとの婚約にこぎつけたことで他人になっていた時代の過去の妻たちが現れ、社会から糾弾される。姿を消す。そしてヨーロッパに渡り、またしても他人になるという生き方に戻り、ヒトラーの支持者として演説会の会場にいるところをフレッチャーが見つける。すべてドキュメンタリーとして進行するが、ここからは先はさらに荒唐無稽な展開となる。

喜劇として笑いながらも、自分をなくす、他人になりきるということを極限まで推し進めた結果の危険に思い至り、観る者の背筋は寒くなるというからくりだ。実際、ゼリグのような極端な例はそうないとしても、自分であることや考えることを人が放棄したかに見える生き方を結果的に選択してしまうという状態はいつの時代、どこの場所でも起こりうる。

さらにアレンがということではないが、映画の編集作業ではときに自分の撮っている映画の一シーンが、どれがどれだかわからなくなることがあるのではないか。いま編集している映画にふと昔の映画の一シーンが入り込むというように。『カメレオンマン』というタイトルからはイギリスの詩人ジョン・キーツ（一七九五―一八二一）の「カメレオン・ポエット」ということばに連想が飛ぶ。キーツによれば詩人はカメレオンのように何にでも姿を変えて詩作をする。その意味で詩人や小説家や脚本家はゼリグの背負っていた運命の危険を抱えることもありうる。ちなみにその詩の世界とは裏腹に生活に追われるキーツを描いた作品に『ブライト・スター　いちばん美しい恋の詩』（二〇〇六）がある。詩人の詩と生活は往々にしてまったく別のものであることが多い。詩の世界のように生きることはできないし、かといって現実ばかりを詩にすると離れてゆく読者、そもそも詩を手にとらない読者も出てくる。詩の世界と現実の世界の境界は思いのほか厳密だ。

『カメレオンマン』と同様に深刻なテーマを扱った作品に『ウディ・アレンのザ・フロント』(一九七六)がある。ここではウディ・アレン扮するハワード・プリンスがアメリカのレッド・パージの時代に表立って脚本を書けなくなった友人に名前を貸し、脚本家に成りきってしまう。ハーマン・メルヴィル(一八一九―一八九一)の『白鯨』(一八五一)が文化というものの表象のように作中人物の口の端にのぼる。

本人が同じであっても、場の文化によって人の評価に差が出ることがある。『さよなら、さよなら、ハリウッド』(二〇〇二)はニューヨークで『眠りなき街』という作品を撮るという話だが、資金はロサンジェルスの会社から出ている。ウディ・アレン扮する映画監督は五十万ドルの報酬で監督を引き受け、もう十年間も業界から忘れ去られているなかで再起をもくろむが、かれを待ち受けている苦難は観る者の想像を越えている。それを前妻のエリーとひとつひとつ克服していくが、もう手詰まりという状況のとき、奇跡のようなことが起こるというからくりだ。メタフィルム仕立ての映画にあっては、作品内部のフィルムもそれなりに魅力的であろうと観る者は考えがちだが、この作品の中の『眠りなき街』は撮影風景から見ても、期待できそうなものではない。案の定、記者たちの反応は、監督やエリーの期待から大きくくずれていた。

マジック・リアリズム『アリス』『アニー・ホール』

　ウディ・アレン監督の『アリス』（一九九〇）はそのタイトルから『不思議の国のアリス』との関係が気になる。ミア・ファーロー演じるアリスは不自由のない生活を送っているものの、夫が仕事中心の人間で、苛立ちがつのる。美容院に行けば、だれがどうしたというゴシップ、買い物に行けば、瞬く間に時間が経ってしまう。ペディキュアもしたいわけではないが、する。メイドがいて、コックがいるという生活をしながら空虚感がつのるばかり。友人の勧めでヤンという漢方医から処方を受ける。催眠術はこまると言いながら、ヤンの催眠術に見事にかかり、悩みを告白する。何度か通ううちに、不思議な薬を処方される。飲むと、体が透明になり、友人たちの本音や夫の秘密を知る。アリスの姿が透明になるなど現実にはありえないが、作品のなかではあたかもありそうなこと、不自然さを読者が忘れてしまうことのように描かれている。

　これは一般にマジック・リアリズムとして分類される技法で、コロンビアの作家ガブリエル・ガルシア＝マルケス（一九二八生）の『百年の孤独』（一九六七）など、ラテン・アメリカの文学に例がいくつもある。イギリスではアンジェラ・カーター（一九四〇―一九九二）の手法についてもこのことばが用いられる。手法がうまく作品に溶け込むと単なるリアリズムでは得られない世界認識に読者や観客がたどり着ける。アレンのおそらく最も知られている映画『アニー・ホール』に、ベッドに横たわっているアニーからもうひとりのアニーが飛び出して本音を語るという場面がある。リアリズムの定石を無視しているが、観る者は不自然を感じることなく作品を楽しむ。アリスは、マザー・

ミア・ファーロー演じるアリス

『アリス』の映画パンフレットより
（1991 年、松竹株式会社）

テレサの記録映画に触発され、ついに充実した人生を選び取る。

日本映画でマジック・リアリズム的要素を備えた作品としては『異人たちの夏』（一九八八）がわかりやすい。主人公を演じる風間杜夫が浅草の映画館で片岡鶴太郎演じる亡くなった父親に出会う。秋吉久美子演じる母親も登場する。そうして夏の短い間、風間は失った両親とときを過ごす。『ふきげんな過去』（二〇一五）もその流れと見える。二階堂ふみは日常に倦む高校生の主人公。そこに亡くなったはずの伯母小泉今日子が現れ、かの女の部屋に闖入する。突然消えたかと思うと、まだ消えていないので二階堂は「所帯じみている」と不満をぶつける。二階堂のことばをもじれば「所帯じみていない」のがマジック・リアリズムだ。現にガルシア＝マルケスのマジック・リアリズムの傑作『百年の孤独』で重要なのは「所帯じみた」母親が忽然と消えるところにある。『海街 diary』（二〇一四）はマジック・リアリズム作品ではないが、伯母の七回忌の席とは言え、母親を演じる大竹しのぶの存在感がひときわ際立つのは、娘たち三人の生活の日常が淡々と描かれたあと、日常の権化でもありえた母親が三人の日常のはるかかなたから忽然と闖入してきたかのようなつくりになっているためだ。映画『東京オアシス』（二〇一一）ではこの読者にとって忽然と登場すべき期待の対象、そして作中人物たちにとって気になる存在という役割はツチブタという動物が演じる。

すり抜ける教養『おいしい生活』

ウディ・アレンの映画に『おいしい生活』（二〇〇〇）という作品がある。アレンと仲間が銀行強盗を計画する。すぐ近くに店舗を借りアレンの妻のトレイシー・ウルマン（一九五九生）がクッキー店を始める。アレンの仲間の三人が銀行に向かって店の地下室からトンネルを掘り始める。クッキー店は爆発的に繁盛し、身内を雇う。ところがエレイン・メイ（一九三二生）演じる身内は、地下室のことを悪気なく話まくり、警官が疑う。警官も黙っているから共同経営者にしてくれという。なんともドタバタした進行で、とにかくその時間を楽しくという映画かと思うと、このあと、アレンらしくしっかりとした深刻な問題に進む。アメリカのある地域のある時代のお話という個別の世界から離れ普遍性も出る。

　クッキー店はフランチャイズとなり、最初のメンバーがみな重役になり、高級アパートに住み、金を使う。トレーシーは人脈づくりに消極的なアレンを説得しパーティを開く。そこに美術商のヒュー・グラント（一九六〇生）が来る。パーティの席上、ホスト夫妻の陰で来客が「成金趣味」とくさすのをトレーシーが聞き、落ち込み、お金じゃない、教養だと言い出す。トレーシーの教養とはワイン、オペラ、コンサート、文学といったものだ。そこでヒューに個人指導を頼み謝礼をはずむ。美術品の売れ行き芳しくないなか、渡りに舟とヒューはトレーシーを別れさせ、「億万長者」になろうとする。そもそもアレンはメイとコーラを飲み、古い映画を観るのが好きというタイプ。トレーシーは語彙をいくつも誤って用いながら、それでも教養がついてくる。

　これは古くからあるテーマだ。ヒューが口にするバーナード・ショー（一八五六―一九五〇）の『ピグマリオン』（一九一二、一九一三）はロンドン大学のヒギンズ教授がコヴェント・ガーデンの花売り娘に上流階級の話かたを教える。さらにさかのぼると、ディケンズの小説『大いなる遺産』は金と教育で「紳士」なるものを作り上げるという話。同じディケンズの小説『われらが共通の友』のボフィン氏は財を成したあと教養を身に着けようとする。

　ヒューがトレーシーに街を案内し、ここがヘンリー・ジェイムズ（一八四三―一九一六）の執筆していた部屋だと教える下りは、著者も都市とあれば作家の家を訪問する嗜好があるので、ある種の俗物根性をからかわれているようで苦笑する。作家の家をたずねる、歌碑や句碑をじっくり読む、それはそれで一見、この一見というところが大事だが、良質な趣味と見える。しかし、よくよく考えてみるとその趣味は、というのが『おいしい生活』のワサビの部分だ。

ハイとロウ

『教授のおかしな妄想殺人』『マジック・イン・ムーンライト』『インテリア』『夫たち、妻たち』『ハンナとその姉妹』

『教授のおかしな妄想殺人』（二〇一五）の原題は『イラショナル・マン』で、理屈に合わない男、非合理な男という意味。アメリカの大学の哲学科で教えることになった男は、哲学者として名声もあり刺激的な講義で学生をうならせる。アレンは、哲学者といういわゆるハイ・カルチャーの住人であるはずが日頃の言説とはうらはらに殺人計画をたてるその独善を笑いのめし、はなから主人公の哲学など信じていなかったとわかる。あるいはある程度まで信じているが、つねに偽物に堕する危険をはらんでいるのがインテリの学問対象というメッセージも伝わってくる。ウディ・アレンの作品にはこうした、ハイ・カルチャーへの揶揄、ハイとロウを混在させること、入れ替えが見える。『マジック・イン・ムーンライト』（二〇一四）という喜劇がある。喜劇はむずかしい。悲劇のように際限なく観るものの涙を絞ればよいというものではない。笑い泣きをさせなければならない。時には、お定まりのシチュエーションを野暮を承知で導入し、笑わせなければならない。ここではコリン・ファース（一九六〇生）がマジシャンを演じ、エマ・ストーン（一九八八生）がアメリカの田舎出身の霊媒師を演じる。この霊媒師、だれかが気の利いたことを言うと、それはディケンズのことばと決めつける。カルチャーのハイとロウの同居をよしとするウディ・アレンにあって、霊媒師になんでもディケンズと言わせるところが笑いを誘うところだ。

作品を少し丁寧に観ないとわかりにくいのはかれの文化観だ。全編笑いが姿を消しているベルイマン（一九一六—二〇〇七）風の映画『インテリア』。主人公の父親のなかには文化のハイとロウが混在していた。いや、ロウから始まり、ハイに登り、晩年が近づいて、先祖返り的にロウに戻りたくなったのかもしれない。ここでハイとロウと表現したのは、あくまでも表現の問題であって、実際の高低や価値を問おうというのではない。サブ・カルチャーにしても同様だ。

はじめの妻はハイ・カルチャーに染まっていた。部屋の内装の完璧なまでのバランス感覚。夫をビジネス・スクールに通わせ、三人の娘を育てる賢母ぶり。ところが夫は、娘も成長しそれぞれの伴侶がいる年齢になったところで、一人になりたいと妻に切り出す。良妻賢母はジェラルディン・ペイジ（一九二四—一九八七）の名演によるところ大だが、これを聴き、妻はおおきくバランスを崩す。新しいファミリーは父親、新しい母親、三人の娘とその伴侶で海岸の別荘に赴く。と、外に人の気配を感じた三女がそれを追うと、実の母が海に飛び込もうとしている。三女も母を助けようと飛び込み、三女だけが引き上げられる。三女は新しい母の口移しの人工呼吸で息を吹き返す。その前の室内の場面では実の母に呼びかけるつもりでマザーと呼ぶと、新しい母が反応してしまう。三女にとって母が入れ替わってしまった。第二の生命が新しい母によって奇しくも与えられた。

ウディ・アレンはイングマール・ベルイマン的世界を継承し、自分のものとし、作中人物の三女のなかで母親を入れ替え（人に交換という用語は馴染まない）た。三人の娘たちは実の母の記憶を共有した。父親もそれを共有しつつも、別の世界に行ってしまった。冒頭のように、成功した人物というかたちで高層ビルの高層階から街を見下ろし妻の記憶をたどることはあっても。

小説でも二極化という現象が見られる。日本の小説の棚を図書館で眺めると、これでもかと言うほど探究を深めていくタイプの作品と、身の周りのことを表面的にとらえ、むしろその軽快感を味わわせるという作品がある。

『夫たち、妻たち』（一九九二）には文字通り、複数の夫たち、妻たちが登場する。五十歳を越えたかれらは、長年の結婚生活に疑問をいだく。シドニー・ポラック演じる夫ジャックはジュディ・デイヴス演じる妻サリーとの生活に疑問を持ちリセット・アンソニー演じるサムのもとに走る。妻のサリーはリーアム・ニーソン演じるマイケルと交際を始める。しかしかれを妻サリーに紹介したミア・ファーロー演じるジュディ・ロスは、実はマイケルに好意をもっており、ウディ・アレン演じる大学教授のケイブ・ロスとの関係がしっくりいかないと考えている。そしてある夫婦の間ではいわば組み換えがおこり、ある夫婦の間では、組み換えのあとの復元が起こる。関係は変質し、流動してやまない。作品の終わりで完成したかと見える新たな組み合わせも、観る者には一時的なものとしか見えない。あるいは、時間がもう残されていないからという意味の安定にしか見えない。

『インテリア』の三人の娘に触れたので、『ハンナとその姉妹』にも触れておこう。こちらもハンナ、ホリー、リーと三人の姉妹が登場する。『インテリア』が三人姉妹の両親である初老夫妻に焦点があったのに対し、ここでは三人姉妹の現在進行形の生活に焦点がある。両親は完全に引退している。長女ハンナは模範的な女性で女優もしていたが、子育てに入っても、よく家事をこなす。夫エリオットはそれがときに煩わしくもあり、夫婦は揺れる。次女は姉に資金を借り、料理の出張サービスを手掛ける。建築家と知り合い、案内をされてマンハッタンの個性的な建築物を堪能する。同時に、読者もそうした建築物を楽しめるというからくりだ。やがて仕事仲間と亀裂が入り、作家になると言い出す。三女は人づきあいの苦手な画家フレデリックと同棲し、これまた不安定な生活をしている。絵を購入しようという客が来ても、愛想笑いのひとつもしない。そこにウディ・アレン演じる病気恐怖症のようなプロデューサーで休業中のヴィッキー・サックスがからみ、観る者は果たして最後にまとまるのかとさえ思うが、どうにかまとまるという映画だ。生きてゆくことが決して格好の良いことばかりではないというメッセージが作品に充満している。ファンタジーはどこにもない。ファンタジーは楽しいが、現実を無視すれば破滅が待つのみというアレンの考えをよく反映している。

創作のプロセス

コロンビア大学の映画学の教授アネット・インスドーフ（一九五〇生）はドキュメンタリー『映画と恋とウディ・アレン』（二〇一二）で「ウディ・アレンは文化なり」と表現している。ウディ・アレンそのものが文化で、かれの作品を観ることはその文化に浸るということを意味する。インスドーフの言う意味を広げれば、それぞれの人がそれぞれに固有の文化をもつ。これまで本書で取り上げた作品や人々のなかで、文化でなかったものはない。そしてまた文化としての人間はあまりに多様で、ひとつの文化に還元できない。だから人とその作品、文化に浸ることで他人が、他の文化が理解できるようになる。

『映画と恋とウディ・アレン』は第一部と第二部から構成されていて、一部がマンハッタンを中心とするアメリカでのアレンの活動、二部がパリ、ロンドン、バルセロナ、ローマなどヨーロッパ諸都市のアレンの活動に充てられている。『アニー・ホール』や『マンハッタン』がなぜ名作なのか、またヨーロッパを舞台とした作品群がマンハッタンのアレンをどう変えていったかがわかるつくりになっている。

このドキュメンタリーの面白さは複数の人物に対して行ったインタビューをうまく編集している点だ。たとえば台詞について。俳優たちはアレンに台詞を自由に変えてくれと言われたと主張する。

しかしそう言われても相手は名脚本家なので、俳優たちは自分で台詞をいじることに逡巡したという。その点はどうなのかと、今度はアレンが俳優による台詞の変更について語っている部分を俳優の証言のあとにもってきて、両者のことばを組み合わせる。すると本当にアレンが俳優の主体性を尊重していると視聴者にわかるという仕組みになっている。編集とはそういうものだろうが、この作品は観ていて最後まで緊張感が緩まない。

同じドキュメンタリーのなかでアレンは着想をどう作品にするかについて語る。

寝室のベッドの横の箪笥に引き出しがある
開けると紙袋があり、そこから黄色いレポート用紙が出てくる
用紙にはそれぞれいくつもの着想が書き込まれている
ときどき全部取り出し、ベッドの上で、これは使える、これはボツという具合に分ける
たとえば男が手品用品を手に入れたと書いてあるとする
「よし」となったらそこから物語（ストーリー）を膨らませる
オークションで手品用品を買う
創作という冒険の旅が始まる

以上はアレンのことばを段階別に切って挙げたものだ。作家が、脚本家がすべての創作上の秘密を明かすとはかぎらない。しかし、このプロセスの信憑性は高いと思われる。多作のアレンの方法がもしこの通りであれば、だれしも地道な作業で、アレンの何分の一、あるいは何十分の一かの着想を、才能の有無とは別に捕獲できるのではないか。

できあがるものはともあれ、著者もベッドを利用して先に進めたことがある。何かを思いつくのはベッドであることが多い。考え始めて寝られない。そこで考えを紙やノートに書きこむ。翌朝、あるいは後日、使えるか使えないかの判断をする。資料を集める。図書館に行く。行ける現地であれば行ってみる。図書館でも現地でも何か浮かべば書く。書いたものをベッド、あるいは大きなテーブルに並べる。流れを考えて書けるところから書く。印刷する。印刷したものをベッドやテーブルに並べる。見晴らしがよくなる。そこであるパラグラフを別の場所に移動しようと思いつき、赤ボールペンで印をつける。

アレンの多作ぶりは一九三〇年代の監督を引き合いに出さなければならないほどだという。ジョン・フォード（一八九五―一九七三）、ハワード・ホークス（一八九六―一九七七）、ラオール・ウォルシュ（一八八七―一九八〇）といった人々だ。そしてアメリカの外のイングマール・ベルイマン（一九一八―二〇〇七）という監督と比較される。

横溢するモノの文化

ウディ・アレンの映画を何本か観ると、アメリカ文化の一部、そのいくばくかを理解できるような気になる。もちろんそこには誤解が伴うだろうが、かれの映画に描き込まれた横溢するモノがかれの見ているアメリカを再構成する。まずは目に見えるモノから列挙するとこうなる。

ニューヨークとロサンジェルスを往復する飛行機。車（『僕のニューヨーク・ライフ』の赤いオープンカーから『ミッドナイト・イン・パリ』のクラシックカー）。ブルックリン橋。作中人物たちの住む住居。家具。別荘（『サマー・タイム』）、未来の家（『スリーパー』）、ほとんどすべての作品世界にちりばめられた小物、女優たちの纏う衣装、タロット・カード（『タロット・カード殺人事件』）とリストは尽きない。

目に見えないものとしては、哲学、教養、文化、知性。それらは、作家や哲学者の名前とともに言及される。カミュ、キルケゴール、マルクス、サルトル、フロイト、ベルイマン、アインシュタイン、フロイト、ヘミングウェイ、フィッツジェラルド、ダリ、シェイクスピア、ソロモン王、ピカソ、ジェイムズ・ジョイス、ロビン・フッド、ミック・ジャガー、ハンフリー・ボガート、ワーグナー、レーニン、ヒトラー、ムッソリーニ、チェホフ、エミリー・ディキンソン、ジョージ・クルーニー、フレッド・アステア、オーソン・ウェルズ、ガートルード・スタイン、ジョセフィーヌ・ベイカー、ロートレック、ゴーギャン、ミケランジェロ。かれらがどの映画で言及されているか、登場するか、これを確認すると本一冊分の原稿が必要になる。本の数も複数になる。

土地の列挙もなにがしかを語る。マンハッタン、ブルックリン、ニュージャージー、ロサンジェルス、パリ、バルセロナ、ローマ、ロンドン。アジアの都市はまれだ。

アマースト大学、ハーバード大学、ヴァッサー・カレッジ、ラドクリフ大学、コロンビア大学といった大学の数も多い。職業を指折り数えても、かなりの時間がかかる。ラビ、眼科医、小説家、脚本家、脚本編集者、大学教授、コメディアン、保険会社社員、小学校教師、発明家。映画監督。映画製作助手、映画関係スタッフ。プロデューサー、不動産王、サーカス団員、ピエロ、警備員、清掃係、検死医、弁護士、画家。画廊経営者。霊媒師、奇術師。カメレオンマンが成り変わる人々の職業を入れてもよい。精神分析医、漢方医、メイド、ベイビーシッター、キュレイター、フライト・アテンダント、アーティスト、編集者、俳優、音楽家、ギタリスト、秘書、劇作家、管理人、マッサージ師、配管工、慈善活動家、エアロビクスインストラクター、美容師、ホテルマン、書店経営者、書店員、皮膚科医、精神分析医、花屋、登山家、映画館経営者、ドアマン、ウエイトレス、警察官、パトロール員、コック、クルティザン。以上すべてをきっかけにアメリカ文化を語り始めることができる。『ニューヨークを支える人々』（フィルムアート社）のかなりが登場する。各職業につき、そのプロフェッショナルぶりを問うている。

衣食住を確保するのが職業だが、この三つもモノで表現されるのがアレンだけでなく映画一般の世界を構築する。食べ物、飲み物もモノだ。生クリーム、バター、チョコレート・シロップ、クッキー、チョコレート・ムース、メレンゲのケーキ、アイリッシュ・ウイスキー、アイリッシュ・コーヒー、ワイン、ラム酒、ペリエ、ビール、ウオッカ、パイ、チーズ・バーガー、ピザ、ロブスター、キャビア、貝柱。住は建築物、部屋、別荘、家具によって表される。アレンの作中人物の住む家、マンハッタンのマンションの部屋、キッチン、ベッドルーム、ベッドサイド・ランプ、ソファ、ダイニングテーブル、椅子、本のつまった本棚、花瓶、ろうそく、照明器具、階段、ドア、ガラス窓、ウオークインクロセット、すべて映像で提示されるモノだ。『インテリア』の妻はモノの美を極限まで突き詰めようとする。衣はアレン自身の衣装とダイアン・キートンの衣装が、奇抜でないだけに記憶に残り、しかも食傷気味にならない。

モノを作品中に横溢させるディケンズ、ジェイムズといった作家、そしてアレンのような監督もいれば、モノの少ない世界を見せるナイポールやイシグロのような作家もいる。モノが少ないからことばで代用するという作家もいる。

プロフェッショナルとロール『ブロードウェイと銃弾』『ギター弾きの恋』

『ブロードウェイと銃弾』(一九九四)はタイトルからすると高尚には思えない作品だが、ウディ・アレンは真のアーティストとは何かという深淵な問題を扱う。ある脚本家が資金繰りのため、演技力に乏しい女優を採用する。女優の背後にはパトロンがいる。パトロンは撮影中、女優になにか起こらぬようチーチという用心棒をつける。舞台稽古が始まる。関係者みなどうも乗りが悪い。用心棒のチーチは観客席であくびをする。脚本家が行き詰まると、チーチが脚本をこう変えてみろという。脚本家はふとわれに返り、そうか、そうすれば話はうまく流れると、脚本を変えてしまう。関係者のだれよりも用心棒チーチが客観的に作品を把握している。やがてチーチは自分が護っている女優が作品を台無しにしていると気づく。ウディ・アレン演じるプロの脚本家より作品の仕上がりが懐具合に影響しない用心棒のほうが作品を理解していた。プロの脚本家はいろいろなことが頭に入りすぎて、本来の作品の細部の良しあしが見えなくなっていた。実はさまざまな分野でこういうことは起こりうる。素人がとった写真がプロの写真家の作品をしのぐということもあろう。俳句を始めたばかりの人が目のつけどころがよくて名句をひねるということもありえる。脚本家はチーチにかなわなかった。チーチは普段の稼業、かれの日常とは別の世界に行ってしまった。ボスの命令で女優の用心棒として稽古にいやいや立ち会っているうちに、アートの世界に行ってしまった。アレンの作品のアーティストのなかでも、チーチは成功例だ。その点、『ハンナとその姉妹』（一九八六）の三女リーの同棲相手の画家もアーティストには違いないが、もう現実との回路を完全に絶ってしまっている。

プロフェショナルぶりが度をこして自分でコントロールの効かない作中人物もいる。たとえばショーン・ペン（一九六〇生）演じる『ギター弾きの恋』（一九九九）のギタリスト、エメット。同時代にただ一人しか自分より優れたギタリストはいないというまでの名演奏をするエメットだが、現実生活は酒浸りでナイトクラブやコンサートに穴をあけては馘になる。女性と車でデートをしても、自分の趣味を貫き通し、相手を辟易とさせる。しかもその趣味とは貨物列車を眺めることと自慢の拳銃で鼠を撃つことだ。自分の理解者と同棲し、別れ、別の女性と結婚し、別れ、もとの同性相手のところに戻ろうとすると、相手には夫がいる。そのことをかの女が仕事としている洗濯屋に近いジェットコースターの見える浜辺で告げられる。その後のことはわからない、とアレン自身がインタビューを受ける人物のようなかたちで言う。ほかに何人かの人物がエメットの生涯を語り、語りと映像でエメット像が再構築されていく。最後のスタジオ録音がのこっていることが唯一の後世に伝えられた財産という認識とともに。

演者と役柄　『恋するバルセロナ』『新しい人生のはじめかた』『恋のロンドン狂騒曲』

作中人物のアーティストが別の世界の住人であることをうまく演じている例として『恋するバルセロナ』（二〇〇八）の画家ペネロペ・クルスが思い浮かぶ。破滅的な芸術家で操作のしかたもわからぬままに拳銃を撃つ。床に広げた作品に絵の具を塗りたくるその姿は本物の画家以上に画家めいている。しばらくして本物の画家はもっと静かに絵を描くのではないかとさえ思えてくる。スクリーンに登場したときから、その現実離れした、それでいて実にリアリティに富む存在感は中途半端ではなく、観る者は次の登場を今かと待ちわびる。

待ちわびるという感覚とは違うが、ある映画が進行し、作中人物たちの口の端にのぼり、いよいよその人物が現れる場面となるとき、やはりこの俳優しかいないと納得させられた経験がある。先に触れた三姉妹の物語『海街 diary』にその一例がある。そもそも三姉妹の演技が自然で、冒頭から本当にそのような姉妹が生きているように見え、しばらくしてから長女が綾瀬はるか、次女が長澤まさみ、三女が夏帆だと気づく。大げさな感想だがそう思わされてしまう作品だ。

三姉妹とわかれ別の女性と山形で一緒になった実の父が亡くなる。三人が葬式に出る。そこで父と女性との間に生まれた妹に会う。三人はまだ中学生の妹を鎌倉に引き取る。かの女たちの祖母の七回忌がある。三姉妹のまた別の男性と暮らす実の母も来ることになっている。そして母役の大竹しのぶが喪服で登場する。いままで三姉妹のことばのなかにしか出てこなかった、いわば空白の部分に大竹がぴたりと収まる。そして短い時間ではあるが大竹が作品中を動き回ると、もう大竹しかいないと見えてくるから不思議だ。自分の生きたいままに生きてきたと見えるのが大竹の役どころだが、実際には三人の娘を育てた。たとえばアートの世界で自分のしたいようにする自由がないと、作品の創造につながらない場合が出てくるが、大竹の扮する母親が日常のなかにあって、したいことをおしすすめたら生活は破綻する。生活はアートでもなければエゴの発露の場でもない。

喪服を着た三姉妹の鎌倉に近い海岸の場面は、母親を失って喪服を着るウディ・アレンの『インテリア』の三姉妹を連想させる。

高倉健（一九三一―二〇一四）の『駅』（一九六一）。北海道警察の警察官の物語だ。正月、高倉が郷里に帰ると、親戚や友人が待っている。と身内としていきなり永島俊行が出てきて、高倉に酒を注ぎ、体全体で親愛の情を示す。同僚を殺害された高倉の犯人捜しという主筋で、どのエピソードも深刻な内容なのだが、いきなり登場する永島に、どの映画館かは忘れたが、観客がどっと笑ったことを覚えている。映画を製作する側が、おそらくコミック・キャラクターとして登場させたのではないと思われるのに、観客が笑いをこらえきれないのはなぜか。よく言えば、永島もまた日本映画になくてはならない俳優に成長していたということだろう。しかもそのあと、観客を再び深刻なテーマに引き戻すことに成功しているのだから、その笑いがその後の作品の足かせになりもしなかった。

映画『新しい人生のはじめかた』（二〇〇八）は、トラファルガー広場などの観光地ロンドンを利用するが、ランドマーク風の建築物に拘泥するわけでもない。エマ・トンプソン（一九五九生）演じる独身女性ケイト・ウオーカーはヒースロー空港に勤務するが、描かれるのは日常的な乗客のトラブル回避で、空港の華やかさに監督の目が向いているわけではない。かの女と知り合うハーヴェイ・シャインを演じるダスティン・ホフマン（一九三七生）はアメリカからやってくる。別れた妻との間の娘の結婚式に出るためだが、当初は披露宴に出る時間もなければ、観光の暇もない。ケイトとハーヴェイがそぞろ歩くのは、ケイトの通う創作教室のあるテムズ川の南のサウスバンクだ。遠くにやっとセントポール寺院が見える。ケイトは『ミドルマーチ』（一八七一―一八七二）を嫌いだという。ハーヴェイは読んだことはないという。

うまい俳優は見ていてそれが地のように見える。トンプソンは『日の名残り』で見せた地のような演技をここでもこなす。二つの役にそう距離はない。『日の名残り』の相手方を演じるアンソニー・ホプキンスとなると執事も演じれば、エアロビクスのインストラクターの若い女性に入れあげる男も演じ、芸の幅という観点からすれば正反対のふたつの役をこなす。俳優が作品中の役のありようのイコンとなっていない。『新しい人生のはじめかた』では人生の幸福のひとつのかたちが映像化されている。グロヴナー・ハウスでの結婚式、そしてパーティだ。そうやってイギリスやアメリカの映画を観直すと、パーティの類は存外重要なものとして描かれている。映画『ダロウェイ夫人』（一九九七）のダロウェイ夫人のようにパーティの成功に神経を注ぐ作中人物もいる。そういえばディケンズの作品でもパーティや会食は楽しいことの筆頭だった。ディケンズの父が借金に追われたのも人を招いてのパーティのためだった。

『恋のロンドン狂騒曲』（二〇一〇）で、アンソニー・ホプキンスはまじめで実直なイメージとは異なる姿を演じて見せる。長年の結婚生活を共有してきた妻と別れ、若いエアロビクスのインストラクターにテムズ川のほとりの住居を用意する。お金が不足し始めても、この新しい女性に振り回され続ける。名俳優とは『カメレオンマン』のゼリグのように何にでもなれないとつとまらない。共演のナオミ・ワッツ（一九六八生）にもそれがあてはまって『マルホランド・ドライヴ』（二〇〇一）のかの女とはうって変わった現実派のギャラリーの社員として登場する。

しかしこうも言える。俳優は撮影で映画全体の断片を演じる。自分の出ているできあがった作品を観ないという俳優もいる。脚本の全体は読んでいても、目の前のシーンをただ演じるだけで、それが最終的に監督によってどう編集されるかはわからない。断片に徹し、断片を演じ切ることに集中すれば、正反対の役を演じることもそれほど苦痛とならないのかもしれない。その意味で役者の仕事というものは時代がそのように形容されはじめる以前から、ポストモダンの世界に入り込んでいたのかもしれない。

第二章脚注

1　『偉大なるギャッツビー』（一九二五）、『夜はやさし』（一九三四）、それに六十年代の翻訳版文庫本の表紙のエリザベス・テイラー（一九三二―二〇一一）の写真が記憶に残る『雨の朝パリに死す』（一九五五）の作家だ。『偉大なるギャッツビー』は七十年代にロバート・レッドフォード（一九三六生）とミア・ファーロー（一九四五生）の主演で映画化され、金やモノを手に入れたギャッツビーの生活ぶりが当時の日本の学生の想像力を越えていて面白かった。

2　パリを舞台とした作品としては『移動祝祭日』（一九六四）がわかりやすいが、他に『日はまた昇る』（一九二六）、『われらの時代に』（一九二五）、『誰がために鐘は鳴る』（一九四〇）など、百年前の作品とは思えない。ヘミングウェイのような作家の作品は旅の伴侶によい。それはたいてい新幹線の大きな駅が起点となる旅なのだが、時間待ちで駅前の書店に入る。新刊書と雑誌の棚で頭が混乱したあと、文庫の棚を一巡すると、いつの間にかヘミングウェイやフィッツジェラルドの作品を手にとっていたりする。読んだことのある作品であるとしても。二人のパリはどのようなパリか。

3　ちなみにアドリアナを演じている女優マリアン・コティアールは感染病の蔓延をテーマとした『コンティジョン』（二〇一一）でも名演をした。この作品の特徴は物語の主役級の重要人物が次々と命を落とすところで、感染病が世界的な脅威となるたびに、イギリスの作家ダニエル・デフォー（一六六〇―一七九一）の『ペスト』（一七二二）やフランスの作家カミュ（一九一三―一九六〇）の『ペスト』（一九四七）などとともに人々が記憶から掘り起こす作品だ。

4　エリオットはアメリカからイギリスに帰化した詩人で『荒地』（一九二二）や『寺院の殺人』（一九三五）といった作品で知られていて、評論もわかりにくいが面白い。『伝統と個人の才能』（一九二〇）は研究社から対訳本も出ていて、難しさを少し緩和してくれる。継承というテーマにも関わる内容で、これも文化を論じた評論だ。

5　マンハッタンと橋といえば邦画に『ブルックリン橋をわたって』（二〇一一）がある。日本人高校生を主人公にしてイースト・リヴァーにかかるブルックリン橋を渡るという行為を映画化した作品だ。小野寺早紀は母を病気でなくし、父の勧めるマンハッタンに来る。世界に羽ばたくのだから広い世界を見ることができると期待したものの、日本人社会の掟に縛られ、級友ともめる。日本の窮屈な学校生活よりもっと窮屈なところが説得力を持つ。そして父が禁じたブルックリン橋の向こう側に渡ってしまう。バブル世代で若いころバックパッカーとして世界を渡り歩いた音楽好きの母の記憶が重く、かえって音楽から離れようとする早紀が結局、音楽で夢をかなえようとする。こう書くと、まとまりのある作品のように見えようが、実は、早紀を売り飛ばそうとする悪役のスケールの小ささが早紀の夢とちぐはぐで、若者の大きな夢が、小悪党の陳腐な策略に阻まれそうになるというところが、現実味を添える。マンハッタンとブルックリンを往復し、そのエネルギーを全身で受け止めようとしても、たいていの滞在者は表面をかするのみ。個人と土地が深く絡み合うには、ウディ・アレンの全作品に通底するようなからくりも必要だし、手痛い出来事を含め、幸不幸を幾重にも経験しなければならない。

6　東はホルボーン駅、西はシェファーズ・ブッシュ駅、南はハイ・ストリート・ケンジントン、北はキングズ・クロス駅、ベイカー・ストリート駅、パディントン駅、ラドブローク・グローブ駅に囲まれた地域にエル・ヴィーノというフリート・ストリートのバー、パークレインにあるドーチェスターというホテル、サンドラの滞在中のヴィヴィアンの家、シェファーズ・ブッシュのヴァンパイア劇場、リフォーム・クラブというプールのある会員制クラブ、パディントン駅近くのエリスホテル、ピーター・ライマンの家、ミトラというパブ、ハイド・パーク、レストランのタジン、ロイヤル・アルバート・ホール、オブザーバー紙の編集部、ペラム・ギャラリーといった著名な主要舞台がすっぽりとおさまっている。

7　コメントに誤解もあることは、『ウディ・アレン』（河出書房新社、二〇一七）に収録されている越智道夫の「ウディ・アレンに利用されたユダヤ系知識人たち」に詳しい。

第三章

夏目漱石の継承と途絶

イギリス文化遺産の日本への継承

博物館や美術館の企画展、さらにテーマパークは、外国文化の遺産の継承を目に見えるかたちにする。

たとえば静岡市美術館の「不思議の国のアリス展」(二〇二〇)。この企画展はルイス・キャロルの世界を時間と空間を越えるかたちで日本に伝えた。

ルイス・キャロルの『不思議の国のアリス』は世界で百七十の言語に翻訳されているという。人気はおとろえていない。世の中の動きが複雑化すればするほど人気が高まるかに見える。読者の現実生活というのは一見、ひとつひとつのことが淡々と展開するかのように見えるものの、実感としては次々に無理難題が起こる。生活はイギリスのヴィクトリア朝の小説のように因果律で進まない。理不尽なことに満ち溢れている。それが普通のことのように起こるキャロルの世界のほうが今日の読者の現実に近いという認識に至るまで、さほど時間はかからない。

キャロルはインフルエンザにかかり、還暦を過ぎて少しした頃に亡くなる。カズオ・イシグロ一家がイギリスで居住した土地ギルフォードの教会に葬られている。この土地についてはイシグロのノーベル文学賞受賞講演に詳しい。ロンドンに通勤する人たちの住む住宅地だ。

目に見えるかたちのイギリスは、企画展をのぞいても、日本のなかにことのほか多い。イギリスを文化的に継承した夏目漱石には、早稲田に漱石山房記念館があり、イギリス留学中の漱石の姿も浮かび上がらせる資料がある。シェイクスピアについては早稲田大学内に坪内逍遥記念館があり、当時の演劇および風俗を今日の日本に伝えている。寺山修司がタロットカードに関心があったという説明書きもある。

ロンドンのテムズ川南のシェイクスピアの芝居のかかったグローブ座は、姿を変え、時代を越え、空間を越え、今はＪＲ新大久保駅と高田馬場駅の間に建っている。そこにたどり着くまでに新大久保駅からイスラム街を通って行くというところも日本的な混在の一例のようで興味深い。

ベアトリクス・ポター（一八六六―一九四三）の創造したピーター・ラビットというウサギに関す

外国文化の日本への継承

「不思議の国のアリス展」のパンフレット
兵庫県立美術館
2019.3.16-5.26

東京グローブ座
新宿 2021.7　編集部撮影

外国文化の日本への継承

「ラファエル前派の軌跡展」のパンフレット
三菱一号美術館
2019.3.14-6.9

る資料は、埼玉県東松山市の大東文化大学キャンパス内のビアトリクス・ポター資料館にある。建物のかたちでイギリスの姿を目にしたければ、伊豆半島に「修善寺虹の郷イギリス村」がある。ジョサイア・コンドル（一八五二―一九二〇）設計の建築物は東京ばかりでなく、たとえば桑名といった地方にも広がっている。

かたちで伝わっていないもの、幾多のイギリスの本は国会図書館や大学図書館にある。東京都ラスキン文庫も数に入る。飯田橋のブリティッシュ・カウンシルの図書室を入れてもよい。かくして、他の国々の文化遺産と同様、日本はイギリスの文化遺産についてもさまざまなかたちで継承してきた。

インドの英語文学

インド人の手で書かれた英語の文学は、漱石以上にイギリス文学を継承している。たとえば世界最長の英語小説とも見えるヴィクラム・セス（一九五二生）の『婿選び』（一九九三）。主人公ラタは大学で英文学を専攻する女子学生で列車のなかでジェイン・オースティンの作品を読む。三人の求婚者のなかからだれを選ぼうかと迷う。そのなかの一人と結婚してみるとあっけない生活が待っていて、あくびをしながら、出勤の夫を見送る。そこに描かれたインドの風俗の描写は作家によるイギリス文学の風俗小説の継承があってはじめて実現したものだ。

ロヒントン・ミステリー（一九五二生）の『絶妙のバランス』（一九九五）も、ムンバイの群衆を描き出すところなどヴィクトリア朝の小説に学んでいるところが大きい。

少し変わっているのはシク教徒のクシュワント・シン（一九一五―二〇一四）の書いた『首都デリー』（結城雅秀訳、勉誠出版、二〇〇八年、原題は『小説、デリー』）。寺院の周辺で暮らす石工たちの生活ぶりは気の遠くなるような話だ。石造の寺院がある。異教徒がやってきてそれを破壊する。すると破壊された寺院の石の残骸を資材にして石工たちが異教徒の寺院を造る。しかしまたその寺院が壊されると、壊された寺院の資材で壊した宗教の信徒たちの寺院を同じ石工が造る。資材に変化がない。石工にも変化はない。ただし、ひとりの石工の生涯に、石造の寺院の建設計画が持ち上がらないこともある。前の寺院が壊されなければ新しい寺院の建設は始まらない。資材の石が異教徒の間で共有されると言っても過言ではない。石工たちは政情の変化に合わせ、自分たちの技術を継承し、平時はじっと寺院の周りで次の政変を待っている。

V・S・ナイポールにも『ビスワス氏の家』(一九六一)など、継承の成果がある。父と自分をモデルとした家族の物語で、作家二十歳代の作品に似つかわしく、力強い。弟シヴァの『蛍』は、父をモデルとした兄の名作へのアンコールとして読むこともできる。

トマス・ハーディ(一八四〇—一九二八)の『テス』(一八九一)を原作にした映画『トリシュナ』(二〇一一)も継承のひとつといえる。

『こころ』『坊ちゃん』のなかの継承

夏目漱石はシェイクスピア、さらに十八世紀、十九世紀のイギリス文学をも継承した日本人といえる。かれによって後世の読者は、そのイギリス文学観を共有するにいたる。さらに創造行為を通し、かれ自身の文学観の共有の機会もひとびとは得た。

『こころ』(一九一四)。教室で漱石に言及し、読んだことのある作品、あるいは作品の名前のみを知っているという作品を挙げてほしいと学生に問うと、『我が輩は猫である』、『坊ちゃん』、『こころ』がまず出て来る。それほどまでにこの三作は若い人に知れ渡っているということだが、他の二作と

『こころ』の間に大きな乖離がある。特に『坊ちゃん』はそのタイトルに内包されているように人生の入口、人の就職の初年度を対象としているのに対し、『こころ』は人生の修行の時期にある「私」と人生から降りたかに見える「先生」との交流の物語だからだ。イギリス文学で言えば、『坊ちゃん』が十八世紀文学や、せいぜいのところディケンズの『ニコラス・ニクルビー』（一八三八―一八三九）を連想させるのに対し、『こころ』は十九世紀の内省的な作家のジョージ・エリオットといった作家を連想させる。しかも漱石の作品全体が男女を扱うものが多く、イギリス文学に親しんだものであればジェイン・オースティンの作品の通低音も感じ取る。

『こころ』には叔父の画策で「先生」が父の財産をすべて継承、所有できなかったという話が中心にある。そうして静かに暮らす「先生」の生活のなかにどこか『三四郎』の三四郎にも似た「私」が飛び込んで来る。「私」が「先生」を鎌倉の海岸で見て、印象を刻み込んだのは、「先生」が「西洋人」と一緒だったからで、そういう存在の珍しさに「私」が引っ張られているところが「私」の性格を表している。「先生」と「私」の交流が始まる。交流はモノの「交換」を意味しない。抽象的な交流で、「私」は「先生」の思想に触れたいと思う。やがて「先生」の「秘密」も知りたいと思う。「先生」は、いつか、と言って、はぐらかす。「先生」は自分の過去を人と共有しない。妻に対しても。いや、妻とこそ、自分の「秘密」を共有してはいけない。「私」は郷里に戻り、母、兄、妹の夫と父を看取る準備に入る。「私」は肉体の父を前に「こころ」の父でもある「先生」のことが気がかりでならない。

夏の終わり、ついに「先生」から長い封書が届くと、それを飛ばし読みし、家族に走り書きを残し、汽車に飛び乗り、上京する。『こころ』下巻は「私」が汽車のなかで読む「先生」の手紙からなり、作品の半分の量に当たる。「先生」は押し掛け弟子である「私」についに「秘密」の共有を許した。漱石作品のなかでも比較的短い『こころ』のなかには、会話という形の交換や諸々の所有が満ち満ちている。

発表年代をさかのぼる。『坊ちゃん』は主人公が若いということもあって、所有についての考察の材料となるものは多くない。職も簡単に捨てる。イギリス文化の継承という観点から言えば、画家ターナーの名前が出て来たりはする。マドンナも決して金のない男性のところに嫁ぐという様子でもない。これも、ジェイン・オースティンの世界につながる。ディケンズの『ニコラス・ニクルビー』を想起させるのもこの作品の特徴だ。気に入らない上司を正義感から殴る。坊ちゃんの勤める旧制中学の教員たちが持つ既得権を坊ちゃんが継承し所有することはなかった。教員の代わりに最後に坊ちゃんが選んだのは電気技師という、当時で言えば先端的技術者だった。Aという職業からBという職業に移る。いわば自分の職業を変えてみる、交換してみる。仕事は人間相手というよりむしろ機械相手で、技術の対象に感情はない。

『虞美人草』の継承

『虞美人草』は、藤尾という当時のハイカラな女性の様子、きっぷのよいさばさばとした様子を描いた作品だ。ところがその義母との関係から、作品も進行するにつれ、藤尾と母との計画がしだいに明らかになり、作品は一気に結婚相手探しのイギリス小説の様相を呈する。もちろんシェイクスピアのクレオパトラへの言及もある。甲野藤尾と母はどうしたかったのか。兄の甲野欽吾が現世的なものに関心のないと見るや、兄には家から出てもらい婿として小野を迎えようとする。兄に渡るはずのものが自分に渡ると踏む。継承、所有、交換がこれで出そろう。強いて共有を視野に入れるなら、藤尾と母は利害を共有する。ただ、事は二人の思い通りには運ばなかった。

『虞美人草』の冒頭は甲野宗助の比叡山登りに始まる。おそらく遠方から見れば今とそう変わらないであろう竹生島を作中人物が眺めたりもする。東京の住人である漱石作品の作中人物たちは、当時という交通機関不便な時代にあって、実によく旅をした。おそらく二年間のイギリス留学を苦労の末に終えた漱石にとって、新幹線がなくとも、国内の旅はそれほどの苦にはならなかったのではないか。人間一端遠くまで行ってしまうと、それよりも短い旅程には怖じ気づかなくなる。遠くまで行って旅の極意が身に付いてしまう。読者は作中人物たちと旅を言わば共有し作品を楽しむ。比叡山根本中堂に下る坂道の前にかかる『虞美人草』に触れた看板を読み、そんなことを考えた。

『三四郎』『それから』――継承の途絶

三四郎も田舎から上京したばかりで東京の右も左もわからぬ青年だ。まわりの人々に感化されながら、そして大学の講義に出ながら、少しずつ近代東京の社会についての知識を蓄えていく。ただし世間のこと、男女の関係には疎く、紆余曲折したあげく、終盤で里美美禰子に「あなたに会いに行ったんです」と言ったものの、そこに現れた若い紳士と美禰子は美禰子の兄のところに向かう。男は黒い帽子を被り金縁の眼鏡をかけている。学生三四郎の相手ではなかった。三四郎は美禰子と集団のなかでの交際をしたつもりになっていたが、かの女の人生をまるがかえすることはできなかった。

それから三四郎はどうなったかというのが前期三部作の二番目『それから』だ。代助は三十になり仕事がなく父の世話になっている。しかし父や兄の助言を聴くでもなく、優柔不断な生活をしているものだから、ついに父も兄も代助を見捨て、代助のほうでは自分の「歩んだ道」に自分が満足していることを理解してくれるのは三千代だけだと考える。「三千代以外には、父も兄も社会も人間も悉く敵であった」(『それから』、三四二頁、新潮文庫)。

かれを待っているのは労働市場だった。しかしかれはまだそのことを十分には理解していない。飯田橋から電車に乗り、頭が回り、電車の窓を通して世の中の赤いモノが一斉に目に飛び込んでくる。「赤い郵便筒」、「赤い蝙蝠傘」、「真赤な風船玉」、「赤い車」、赤い「煙草屋の暖簾」、「売り出しの旗」、赤い「電柱」、「赤いペンキの看板」、「仕舞には世の中が真赤になった」（『それから』、三四四頁、新潮文庫）。代助は世間との関係にあまりに無関心であった。

世の中で何が起こっても、それとは無関係という主人公の行動は、その後、約百年という歳月を経て、また別の形で表現されている。たとえば海外での戦争のなか渋谷のホテルで数日間を過ごす『三月の5日間』（二〇〇四）の主人公たち。さらに新宿区、目黒区あたりにいて、しかも北区を宇宙人が攻撃するかもしれないという状況のなか、五反田の本屋で立ち読みをしたり、という『恋愛の解体と北区の滅亡』の主人公たち。ここでは宇宙人と首相の対面がリアリティをもって描かれている。H・G・ウェルズ（一八八六―一九四六）原作の『宇宙戦争』（一八九八）を脚色したラジオドラマの番組を聴いて本気にした人々がパニックを起こすという事件があったが、『恋愛の解体と北区の滅亡』のなかの宇宙人は決して荒唐無稽な存在として扱われていない。コナン・ドイルでは『失われた世界』が出た後、実際に探検隊を組んで恐竜を探そうという企画が持ち上がったという逸話もある。現在はというと、撮影隊が舞台となったアマゾンの高地にカメラを入れ、CG合成した当時の動植物の映像と合わせた映画やドラマ番組も視聴可能だ。

第四章

静と動の表象

ブローシャ、フライヤー、タブロー、移動

静止画と動画

所有、継承、交換、共有という四つの活動の考察から少し離れ、それらを俯瞰する表象のあり方を見てみよう。

世の中には動くものや動画を止めてみたいという人がいる。反対に静止画、画像を動かしてみたいという人がいる。

前者の典型が写真家。後者の典型が映画監督。写真家にきいてみた。自分は自然のなかで動くものの、写真撮影なくしてはとらえることのできないかたちを見る人に提供したいという。事実、その写真家のコレクションのなかには、鳥や動物の動きをとらえそれを止めたかのような画像がいくつもあった。ただ不思議なことにかれによると、出来上がった料理という動きのないものにあたかも動きが加わったように撮影できる写真家がいるという。

十数人の語学の精読のクラスで、先のふたつのタイプのうち、自分はどちらに入ると思うか、と水を向けてみた。すると全員、動くもの、動画をとめてみたいと答えた。半々に分かれるとの予想は外れた。ひとり留保をつける学生がいた。動画、映画を製作するには資金がない。動画に関心がないということではないと。

アスリートの学生となると反応はまったく異なった。静止画を動かしてみたいという。動きがあって運動が成り立つ、動きを見て学ぶということだ。

動画やアニメーションが流布してもなお、静止画、画像、そして漫画の威力が衰えない背景には、記憶を静止画のかたちで定着しようという願望があった。自らふりかえってみても、記憶はビデオクリップのように時間の流れをともなったかたちで残っているのではなく、静止画のかたちでのこっている。作家はそれを承知してかしないでか、作中人物や風景を静止画のように書く。

流体の不安というものもあろう。鴨長明（一一五五―一二一六）の『方丈記』（一二一二）冒頭は理解できても、水を見てそう思う人ばかりではない。海のない土地に育ち、海におびえる人もいる。水の流れに、押し寄せては引く波に、不安を抱く人もいる。硬質なもの、金属や鉱石の類にこそ安定感を見出す人もいる。ロンドンの自然史博物館の鉱物の展示を見ると、そうした気持ちになる。

動画は流れる。どこに行き着くかわからない。タブローはその終着点だ。その変わりようのないところにひきつけられるということもあろう。時間に抗い、変化に抗う。環境が変化すればするほど、動かぬものの魅力が増すという考えもある。人は静止画として記憶を所有し、自らの内部において継承するとひとまず言っておこう。これは経験からの結論で、記憶の所有のありようが人それぞれであろうことは知ってのことだ。

人形芝居と調和

静止画と動画の要素を併せ持つかたちがある。人形芝居だ。人形そのものは動かないが、人があやつることによって動きが加わる。イギリスなら粗野の感も否めないがパンチとジュディという人形芝居がある。日本でもかつて『ひょっこりひょうたん島』(一九六四―一九六九)という人形劇があり、子供たちを喜ばせた。しかも登場人物ならぬ登場する人形たちの居場所は、海を漂う動く島であった。

浄瑠璃も人形の顔という抽象化された表情を見せどころとする。人が演じれば静止画のコマが飛ぶかのような顔の動きは回避しうるにもかかわらず、そのコマの飛び方や静止状態に美を見出す観客もいよう。マリオネットの演技にも通じる。インドネシアの影絵はさらに抽象的だ。影絵のもとになる人形は二次元の平面。そこから仮面や能面の表情の鑑賞までの距離はわずかだ。そして人は、先祖の肖像を遺そうとする。

人形の持つ怪しい力とそれを操る人形師の技について息苦しいまでの考察を加え、絶妙の表現をほどこした作家に、二十世紀イギリスのアンジェラ・カーターがいる。作家はまず人形についてひとつのパラグラフをつかって紹介したあと、人形遣いの技についてこう述べる。

彼女［人形］はずっと昔に亡くなった無名の職人の傑作だったかもしれないが、人形遣いが糸に触れるまでは、ただの奇妙な木偶にすぎなかった。というのも魔法の活力を吹き込むのは人形遣いだったからである。（中略）彼女が動くと、巧に女性を装った人形というよりも、途方もないが同時にすばらしい、奇怪な女神のように見え、彼［人形遣い］の手に依存しているようには思われず、全くリアルだが、それでいて完全に別のもののように見えた。彼女の行動は、生身の余生の模倣というよりも、生身の女性の行動を凝縮し、強烈にしたものだったので、エロティシズムの化身となり得た。というのも、生身の女性は、それほどまでに露骨に妖艶にはなれなかったからである。

（アンジェラ・カーター、「葵の上の情事」、『花火』所収、アイシーメディックス、二〇一〇年、四七頁）

アンジェラ・カーターの短編集『花火──九つの冒涜的な物語』は「日本の思い出」、「死刑執行人の美しい娘」、「紫の上の情事」、「冬の微笑」、「森の奥まで達して」、「肉体と鏡」、「主人」、「映像」、「フリーランサーに捧げる万古」とそのタイトルからしても、気を引き締めて読まないと足をすくわれそうだ。訳者榎本美子の解説が詳しく、これに『図書新聞』掲載の「繰り広げられる華麗なシネスセジア絵巻」というムルハーン千栄子（一九三二生）の書評を併せて読むと、全体像はつかめる。カーターの作品を読むといつも落ち着かなくなる。ときにかの女の比較対象となるヴァージニア・

ウルフではそういうことは起こらない。百年前の作家だからか、あるいはアジアという視点がほぼ皆無だからか。まして十九世紀の女性作家、たとえば、オースティンにしても、エリオットにしても、ブロンテ姉妹にしても、そういうことは起こらない。オースティンを継承した結婚相手を探す女性の物語の映画『ブリジット・ジョーンズの日記』(二〇〇一)も同様だ。こうした作家たちの作品はときに間延びし、読者を退屈すらさせる。カーターの場合は退屈におそわれることはないものの、読んでいて疲労困憊する。息苦しくなる。数行読んでは休み、数行読んでは休まないと、からだもこころももたない。イギリスの書き手であって、イギリスの内側だけを見て書いているのではない作家の文章だ。ことばからの連想が世界各地へ、また時間軸の各所に飛びかねないこうした作家の作品は、果たして娯楽としての読者に供されうるのか。読者にしてそうだから、書き手である作家はさぞや疲労困憊したことだろう。引用箇所もカーター独特の日本文化論なのである。本書で折に触れ紹介する日本文化の論じ手たちとはまったくことなる世界に生きていた作家だ。そう感じるのは「日本の思い出」と題する短編の次のようなパラグラフを読むときだ。

この国では偽善を最高の様式まで高めた。(中略)こうした侍や芸者の壮麗さはほとんど人間離れしている。彼らは偶像の世界にのみ生きていて、そこで儀式に参加している。その儀式は、生きることそれ自体を、馬鹿げていると同時に心を動かす一連の荘重な身振りに変えてしまうのだ。

日本人は何かを強く信じれば、実現すると思っているかのようだった。そしてああ驚くべきことに、彼らは何かを強く信じ、それが実現したのだ。私たちの住む界隈は本質的には貧民街であるが、見かけは、調和の取れた完成した小住宅街である。そして語るも不思議なことには、見かけが現実となってしまったのだ。というのも、人々が非常に行儀よく振る舞い、あらゆるものを清潔に保ち、厳しいほど礼儀正しく暮らしていたからである。調和のとれた暮しをするには、なんと厳しい規律が必要であることか。日本人は調和のとれた生活をするために、活力のすべてを抑圧してしまったのだ。そして彼らには、厚い本にはさんで押し花にした花の持つ、もの言いたげな美しさが備わっていた。

（アンジェラ・カーター、「日本の思い出」、『花火』所収、アイシーメディックス、二〇一〇年、二三頁）

『花火』
アンジェラ・カーター著
2010年、アイシーメディックス

アンジェラ・カーターの日本とリチャード・ブローティガン（一九三五―一九八四）の日本は重ならない。『東京日記』（一九七八）を読むと、詩人はよく動く。なんでも詩になってしまう。ブローティガンは、その生涯そのものとは別に、奥に入っていかないかのような書き方をする。表面のみを読んでいるかのように読みやすい。道を語らせても、ロード・ノヴェル風のくどくどしさが見当たらない。ところが読み終わると、考え込む。「道について考える」という詩。

人生のすべての可能性、
すべての道はここに通じていた

この四十一年の人生、
　ぼくはほかの場所に行こうとはしなかった

ワシントン州タコマ
モンタナ州グレートフィールズ
メキシコのオアハカ
イギリスのロンドン
テキサス州ビーケイヴズ
ブリティッシュコロンビア州ヴィクトリア

フロリダ州キーウェスト
カリフォルニア州サンフランシスコ
コロラド州ボウルダー

すべてはここに通じていたのだ

東京のあるバーで
昼めし前に
　ひとりで酒を飲んでいる
だれか話しかける相手がいたらいいな
　と思いながら

（『ブローティガン東京日記』、福間健二訳、平凡社、二〇一七、六一―六二頁）

『ブローティガン 東京日記』
リチャード・ブローティガン著
2017年、平凡社

ブローシャ、ポスター、フライヤー、広報

文字の羅列、つまりテキストにも、書かれた時代というものがある。映像にも撮影された時代というものがある。両者を比較すると映像のほうが時代の露呈の度合いが激しい。日本であれば、日本の住人が映像を前に、だいたいいつ頃に撮影されたかを推測できる。ところが文字となると、一読、時代がわかるというものではない。文字にはそれを書いた人物の文体が関係するので、時の特定がしにくい。映像のほうはすぐに古いとか新しいといったことがわかるが、文字はわかりにくい。新しいと思って読んだものがことのほか古いものであったりする。

ロンドンでテレビを見ていたときのこと。コマーシャルに中年夫婦が登場し、休暇をどうするか相談している。ふたりは印刷物を見ながら、ソファの上で、何をしようか、どこに行こうかと思い悩んでいる。妻が、「それほんとかしら」と言う。すると夫が「だってブローシャに書いてあるじゃない」(So the broucheur says.)と答える。

かれらが熱心に見ていた印刷物はブローシャと呼ばれる。大きさは畳んだ状態で横10㎝×縦21㎝で、たいてい二カ所で折り曲げられ、開くと三幅対のかたちをしている。ロンドンの、そしてどこのヨーロッパの国にもある印刷物で、ホテルや美術館、博物館のラックに収まっている。内容は、観光スポット、芝居、地図、城、寺、神社、教会、藩校、記念館、ハイキングコース、料理、大学

の公開講座、クルーズ、バスの路線図、博物館、美術館、陶芸などの体験型のイヴェント、映画、時刻表、模型、本、装飾品、その他で、およそ人が余暇を楽しむための場やイヴェントのすべてを網羅している。日本のホテルや美術館、博物館などにも今ではたくさんある。

コマーシャルの中の夫の「だってブローシャに書いてあるじゃない」ということばは、ふたつの点でユーモラスだ。ひとつには、人は文字に書いてあることに弱いということ。書いてあるのだから実際にその通りと思い込みがちだ。足を運んでみると、それほどではない、あるいは運に恵まれ、想像よりはるかによかった、そのどちらかで、ブローシャはあくまでも訪問先やイヴェントを表象しているにすぎない。

さらにもうひとつユーモアラスなのは、夫役はことばを鵜呑みにしているようにコマーシャルを演じているが、コマーシャルの制作者は、ブローシャの信憑性を信じていないように見えてしまう点だ。そういうことはどの仕事にもままある。自分の仕事に熟知しているからこそ、危うさも承知している。有能な職業人は有能であるがゆえに、仕事に対する自分の限界を知っている。

ブローシャ、ポスター、フライヤーとイヴェントや施設との関係は、ことばとモノの関係についての考察へと人をいざなう。新たなイヴェントあるところ、新たなブローシャ、ポスター、フライヤーあり、ということになり、イヴェントを告知して表現するそれらも日々作り続けられる。この三つは時代と場所を反映する。文化考察の好対象となる。二十一世紀の表象文化論につながる。

人は生涯フライヤーに囲まれて生きる。掲示と言い換えてみるとわかりやすい。まず病院で掲示を目にしているはずだが、読むのは親で子供はわからない。保育園や幼稚園も同様。小学生くらいで掲示を読み慣れるようになり、中学、高校、そして大学と掲示に囲まれて暮らす。一部はインターネットが代行する。通学の電車、通勤の電車でポスターやフライヤーに囲まれる。老いて通院するとまた病院の掲示に囲まれることになる。薬に関するフライヤー、健康管理に関するフライヤーと病院のラックには何種類も読むものがある。

広報もわれわれが日常的に目にする印刷物なので、ここで見ておくのもよい。広報はおおむね市民の日常生活を回す助けとなっているのだが、次のようなかたちの広報には、どのような反応をしたらよいであろうか。これも人の活動を伝える内容には違いない。フィクションのこととは言え、これも広報のひとつのありようだ。広報が淡々と戦争に触れる不気味さ。

【町勢概況】（9月10日現在）

町の人口　15、773人

男性　7、548人

女性　8、225人

世帯数　４、５８９戸
【人の動き】（8月25日〜9月10日）
転出　40人
転入　39人
出生　13人
死亡　23人
（うち戦死者12人）

右の一覧表は三崎亜紀の小説『となり町戦争』（集英社、二〇〇五年、文庫二〇〇九年）のかなり早い箇所に引用されている広報の内容だ。主人公北原修治と読者のとまどいがここで重なる。北原は市役所職員香西の伝達にしたがって、ゆっくりと確実にとなり町との戦争に巻き込まれていく。広報には「町勢情報」が記載され、「人の動き」として「死亡23人」と書かれ、「（うち戦死者12人）」という但し書きも付されている。目の前で戦闘が行われているのでもなく、空襲があるわけでもないのに、死者の数が増えていく。

コレクションとフライヤー

趣味は多様だ。ある人にとって大切な趣味が別の人には理解できない。たとえば鉄道ファン。著者もそうだが、いつどこからそうなったか、はっきりしない。どうして〝撮り鉄〟ではなく〝乗り鉄〟なのかもわからない。ただ新幹線に乗っているだけで落ち着く。地下鉄は落ち着かない。在来線も落ち着かない。

著者のまわりには鉄道ファンが多い。高齢の方で、自動改札機がないころ、切符をもらってくるのが好きという人がいた。集めた切符を行李に入れっぱなしにしてあるという。行李というところが、時代を感じさせるが、そうやって集めることそのものが目的と化しているという点が趣味であることの証だ。

集めるということに執着した時代があった。たとえば本。新書を買って並べておく。文庫を買ってならべ

ておく。全部読んでいるわけではないのに、並べておく。スペースをとると分かっていても、並べておく。と、あるとき、本を処分する。すると、本がなくなった分、思考が活き活きとしてくる。本への隷属状態から解放される。

次は写真。撮ってはためてということをしていた。ところがデジタルカメラが登場し、カメラ付き携帯電話、スマートフォン、タブレットができ、大量にとっては一枚、二枚だけを残すことができるようになった。すると、大量に撮ることもやめ、しまいに風景を前に、撮影することもなく目に焼き付けることができるようになった。

フライヤーは集め始めるとたちどころに増える。一枚一枚お金がかかっているように見えるものばかりだ。フライヤーの優劣が気になり出す。二枚ならべると、どちらが優れているかがたちどころにわかる。フライ

さまざまなブローシャ

ヤーの収納場所を確保する。あまたある趣味から見れば、わかりやすい。フライヤーが集めやすいのはその大きさにある。Ａ４版が中心だから、鞄におさまる。ポスターのように丸める必要もない。ポスター、とくに映画のポスターやブロマイドの類は、神田・神保町に行く。あらかじめインターネットで下調べをしておくと、たちまち数件の書店が候補として出てくる。

フライヤーは人をさまざまな分類行為へといざなう。扱われているジャンルで分類する。フライヤーの大きさで分類する。Ａ４、Ａ３、ブローシャサイズ、そして絵葉書サイズという具合だ。絵葉書サイズは絵葉書立てにはさんでそのまま部屋に飾ることもできる。色で分類することもできる。クレヨン箱や絵の具箱にならって色で並べてみる。黒地のフライヤーにはそれなりの主張があり、黄色地のフライヤーには別の主張がありということがわかる。季節、ないし月ごとに分類することも可能だ。するとイヴェントにも季節感があるとわかる。屋外アートは寒い季節を嫌う。暖かい室内にふさわしい行事もある。

京都駅の新幹線の改札口を入ったところには京都観光マップが地域ごとに整理されておいてあり、東西南北に自信が持てないという旅行者にわかりやすい。バスの路線図や地下鉄の路線図も立派なアートだ。観光地を巡回するバスの地図はそのまま観光スポット案内に代用できる。東海道の新幹線停車駅には、ハイキングコースを説明する冊子もある。大学が多い沿線の駅には大学の社会人向けの講座のフライヤーや冊子もある。港に近い駅には港湾内クルーズやフェリーのフライヤーもある。

京都駅から地下鉄烏丸線で二つ目、烏丸で降り、京都芸術センターというかつての小学校の建物を利用した施設に入る。演劇、音楽、博物館や美術館の企画展などありとあらゆるフライヤーがある。催しの情報を知ることができるのに加え、作品としてのフライヤーそのものを鑑賞できる。施設の数だけその施設を説明するブローシャ、ポスター、フライヤーがあり、さらに企画展のそれらがある。過去の企画展のポスターを売りに出している古書店もある。屋外施設、庭園、植物園、それらを擁する神社や寺にもある。

フライヤーは未来形

映画館のフライヤーは予告編にも似ている。これから上演予定の映画のフライヤーが山と手に入る。それを読み、さらにインターネットで予告編を観る。

静止画が動画を越えることがあるということを別の言い方で表現するフライヤーに出会った。「ポーランドの映画ポスター」展（国立映画アーカイブ、二〇二〇年十二月十三日から三月八日）の展示の一枚、映画『暗殺の森』のポスターの「映画を、超えました」という文字だ。一枚のポスターが映画そのものを超えるとは大胆な評価だが、そう言ってみたくなるほどにすぐれたポスターが集められていた。『水の中のナイフ』（ポーランド、一九六二）、『ナック』（イギリス、一九六五）、『ウェストサイ

「ポーランドの映画ポスター展覧会」
のパンフレット

2019.12.13-2020.3.8
国立映画アーカイブ

ド物語』（アメリカ、一九六二）など日本でも上映された作品に加え、川端康成原作の『美しさと哀しみと』（一九六五）や黒澤明監督の『椿三十郎』（一九六八）といった日本の作品も多数あった。

フライヤーは未来を志向する。ＪＲ東海名古屋駅から地下鉄東山線で二つ目。栄駅で降り、愛知芸術文化センターに向かう。情報センターには、愛知県と近隣の美術、演劇、音楽に関する情報が凝縮されている。フライヤーも多く、片手から漏れるほどの量になり、鞄にいったんしまい込んではラックを見る。上の階には愛知県美術館があるので、エレベーターに乗る。そこにも各所美術館の企画展のフライヤーがあり、企画展から目がそれてしまうこともある。愛知県、岐阜県、三重県の施設の企画展スケジュールを一覧にしたブローシャサイズの予定表もあり、ここをこの地区のアート鑑賞の出発点とすることもできる。近くの広場には、大きな楕円形の鉄とガラスの屋根の下に別の案内所があり、資料が豊富だ。

一方、図書室の資料は過去をよみがえらせる。個別の画家、たとえば、ジョルジョ・デ・キリコ（一八八八―一九七六）の全作品が見てみたいとか、サルバドール・ダリの全作品が見てみたいとか抽象画の歴史を俯瞰してみたいと思うとき、過去が蓄積された図書室に入る。

旅と街とフライヤー

通勤電車で吊り広告が目につく。新しい週刊誌、新刊書となんでもある。電車の壁に目をやれば、広告が溢れている。山手線のようにドアの上部に動画の広告を流している車両もある。短い時間で見切れるように工夫してあるが、ストーリー性、動画の面白みを伝えるほうに重点がある。何の広告であったかあとで考え込む。その点、吊り広告はタブローのように記憶に残る。

駅で降りると、その駅の周辺に関係するフライヤーや壁画が目に入る。いくつもの劇場のある東京、下北沢駅には、演劇関係のフライヤーが豊富だ。小田急線沿線を描いたレリーフもある。ラックには鉄道会社の観光案内がある。街を歩けば、看板や掲示がある。小劇場から中規模の劇場まである。どこの町でもフライヤーがある。人は通勤途上、何枚ものポスターやフライヤーを見る。すべてフライヤーになる。ポスターにもなる。自然も人のつくった文化もすべてフライヤーになる。旅に出るとその数も格段に増える。そもそも旅行社のラックにある旅行パンフレットは静止画の束。写真はますます洗練の度を増す。目的地とホテルを決め、切符とホテルの予約をする。長距離列車や新幹線に乗ると、ポスターやフライヤーは通勤電車のそれとは異なる。目的地の駅で降りる。ホームや待合室の壁はその土地のポスターで埋め尽くされている。観光案内所があるほどの土地では、ホテルに持ち帰れるフライヤーやブローシャの類も大量だ。大事なのは地図や絵地図。現地の情報が一番新しい。

ホテルに持ち帰り、ベッドカヴァーの上に並べれば、目的地の俄かパンフレットができる。出発前の下調べのノートと現地の資料の束とに大きな開きがあることもしばし。ビジネスホテルでもブローシャからフライヤーまで、ふんだんにある。フライヤーに食事処の案内がある。チェーン店から地元ならではの店まで、地図や写真や、なかには値段付きで載っている。

その日の午後や翌日、たとえば地元の大きな美術館を訪ねる。博物館を訪ねる。そこには別の施設のフライヤーがラックや机に並んでいる。展示物の目録もある。展示の説明も勉強と言えば勉強だが、フライヤー感覚で読む。

地元の地図は縮尺の正確なものと絵地図とそれぞれに利点がある。縮尺の正確な地図は宿舎から目的地までの所要時間を計算できるし、絵地図は重要スポットが一目でわかるようになっている。

伊能忠敬の佐原はさながら地図の里だ。

というわけで、世界にありとあらゆるものがブローシャ、ポスター、フライヤーになる可能性を秘めている。書物や写真になりうる。今は人によって文字化も画像化もされていないものが、将来、なにかのきっかけでそうしたものになる。

タブローとショアの「等価」

タブロー（絵画的描写の静止画）を意識する作家がいた。二十世紀の作家V・S・ナイポールだ。この作家は、イギリスに帰化したものの、故郷トリニダードの記憶を繰り返し描くことが多いので、畢竟、作品にはタブローと呼べる文字による絵画的描写が溢れている。同じ光景を時代の経過とともに、繰り返しタブローに仕上げることとすらある。タブローは微妙に変化していく。ちょうど人の記憶が時の経過とともに、変わるように。

ロンドン、ナショナル・ポートレート・ギャラリーに飾られた英国著名人ひとり一枚の肖像画も、静止画の極みと見れば、見え方も違ってくる。人の生きている証は動いていることだ。心臓と肺が休むことなく働き、動いていることで人は生きる。ルネサンスの時代に肖像画の持つ意味は大きい。動画が可能な現代にあっても、敢えて静止させることには意味がある。

およそ絵画史のなかで遠近法が支配的であった時代には、見る人の目に近いものは大きく、遠いものは小さく、ある種の序列をもって対象が描かれてきた。描かれているものの間に順位とか序列が見え隠れした。遠近法を用いない画家たちはこの順位や序列を破壊した。ここに触れる写真家スティーヴン・ショア（一九四七生）の作品を見ると、撮られた人やモノ、ないしはその組み合わせ、さらに写真と写真の連続のなかに「等価」という意識が充満している。見るものは「等価」の楽さを存分に堪能し、解放される。ありふれているかに見える写真を撮るのは実は難しい。しかしショアの写真集『アメリカン・サーフェシズ』（一九九九）にはそのような写真ばかりが出てきて、落ち着かない気分になることはない。逆に落ち着きすぎることに驚く。日本の写真家奥山由之との対談を読むと、ショアの写真に触れたときの妙な落ち着きの理由の一端が理解できる（『ブルータス』二〇一九年八月、二十一―二十三ページ、マガジンハウス社）。

ショアの写真をなぜアメリカ的と感じてしまうのか。かれの写真を眺めていると、そこからアメリカ的な物語を紡ぎだしたくなるからというのがひとつ目の理由だ。

これについては、エドワード・ホッパーを例にとるとわかりやすい。この画家もアメリカ的と形容できる作品の数々を遺した。日本で一番知られている作品はおそらく一九四二年の作品「ナイトホークス」（次頁）だろう。邦題では「夜更かしの人々」、外からガラス越しに見えるその店の中に四人の人物がいる。ひとりの男性客、女性連れの男性客、そして注文にこたえる店の男性。この絵については、およそ絵というものに対しだれしもそうするように、人それぞれ想像をめぐらす。ひ

Bay Theater, Ashland, Wisconsin
Stephen Shore
1973/ Chromogenic print
The Art Institute of Chicago 1985.354

Nighthawks
Edward Hopper
1942 / Oil on canvas
(PD) The Art Institute of Chicago 1942.51

とりで座る男は探偵か。カップルの男女が夫婦とも見えない。この三人にはそれぞれのわけがある。そんなことをひとつひとつ考え出したら切りがないから、店の男は淡々と仕事を続ける。それでいて客三人の様子はおりおり確かめる。そういうことをただ考えるだけでなく、それを本にしてしまった人がいる。ローレンス・ブロックはホッパーのよく知られた絵を題材にそれぞれにつき短編小説を書くという依頼をした。それが『短編画廊：絵から生まれた17の物語』（ハーパー・コリンズ・ジャパン、二〇一九、次頁）だ。作家のなかにはスティーヴン・キング（「音楽室」）、ジョイス・キャロル・オーツ（「午前十一時に会いましょう」）らの作品も含まれている。

ショアの写真にもそういうところがある。その一枚の前後の時間を感じさせ、その一枚そのものの時間が止まっている写真。つまり人にしても風景にしても、ナイポール風に言えば、あるいはゴーギャン風に言えば、その一枚はどこから来たのか、その一枚は何か、その一枚はどこへ行くのか、ということを感じさせる。これはおそらくアメリカでショアの作品を鑑賞する人々にとっても、日本の鑑賞者にとっても同じことだろう。

ふたつ目の理由は日本の事情にかかわる。今にして思えば、ごく一部でしかなかったことがわかるが、戦後、とくにテレビ、映画を通じて日本に紹介された映像や幾多の雑誌や写真によって紹介された画像が、ショアの写真のなかにいわば結晶化されているように感じられるからという点だ。これは時に逆転して、ショア的感性の写真が後続の映画や美術に影響したことも十分にあるだろう。

いずれにしてもショアのなかにアメリカが写り込んでいると感じてしまう。優れた日本人写真家の作品に日本が写り込んでいるというのと同じだ。そのようにしてそれぞれの国には、いかにもそれぞれの国らしいモノや人や風景を写り込ませることができる写真家がいる。

このように考えつつショアの写真を見る。たとえば、「ベイ・シアター、アッシュランド、ウィスコンシン」（123頁上）。車と建物。しばらく見ていて、第三番目の理由として、個人的な経験を思い出した。中学生になるかならないかのころ、よく福生の横田基地に連れていかれ、飛行機や街を見せられた。何種類ものアメリカ軍機が離着陸し、街にはムスタングが走っていた。ショアの写真を見ると、どういうわけか横田基地とその周辺のアメリカを思い出す。

ときに落ち着かなくなり話の筋についていけなくなることもあるウディ・アレンの作品に人がひ

『短編画廊：
絵から生まれた 17 の物語』
ローレンス・ブロック、
スティーヴン・キング他著
ハーパー・コリンズ・ジャパン、2019 年きつけられるのは、先に触れたホッパーの「ナイトホークス」を動かしてみたような映像を見せてくれるからだ。人は静止画を見てはそれが動いたらどうであろうかと気になり、動画を見てはそれを止めてみたいと思う。

漱石の作品には漱石がそうと信じる東京が書き込まれている。ナイポールの作品にはナイポールがそうと信じる世界の各地が書き込まれている。ウディ・アレンの映画にはアレンのそうと感じるアメリカが映り込んでいる。イシグロの作品にはイシグロがそうと信じるイギリスや日本が書き込まれている。それらは時に、実際のイギリスよりイギリス的であり、実際の日本より日本的でありさえする。

市場とタブロー

下層階級を描いたディケンズと並び称される上流階級観察を得意としたウィリアム・メークピース・サッカレー（一八一一―一八六三）にも継承や所有はある。『虚栄の市』（一八四七―一八四八）の冒頭、女学校を同時に卒業する二人の若い女性ベッキーとエミリアにあって、ベッキーの持つものとエミリアの持つものには人生の門出の段階で大きな差がついていた。ちなみにこの作品のタイトルにある「市」の原語はfairでmarket（目に見える市場、目に見えにくい市場）でもmesseでもない。フェアは市場とかメッセとかとは異なるニュアンスを持っている。

V・S・ナイポールの作品に市場の記述があるかというと、これは乏しい。もっとも『ミゲル・ストリート』に登場の人々の集合を拡大解釈することが、成り立たないわけでもない。むしろナイポールの好んだのは静止画のような記述で、『世の習い』（一九九四）のなかのトリニダードの登記局の描写などに活かされている。語り手は目の位置をゆっくりと移動させているかに見えるが、出来上がった対象の描写はまるで静止画のようなものに仕上がっている。

カズオ・イシグロ（一九五四生）の場合も『忘れられた巨人』（二〇一五）のとある村の人々の描写のように大勢をあたかもひとりひとり丹念に描くように見えながら、実際のところは何枚ものタブローの連続と見える描写が続くことが多い。初期の『浮世の画家』（一九八六）の宴席の場面などは、一同に会した人々を集合的に描いている点で市場的描写とでも呼べそうだ。ありそうでなさそうな不思議な日本だ。

市場的な印刷物というものがある。メニューがそうだ。日本にいるとさほど意識しないが、外国のメニューと格闘するとき、このことを意識する。市場の地図もことばの市場だ。かつての図書館のカード目録も市場。いまやインターネットのホームページの検索の結果も市場のように本のタイトル以下の情報が出てくる。

第五章

大都市と文化への憧憬

文化へのあこがれ、文化観の継承

これまで個人の身体や財産といった具体的なモノの所有、継承、交換、共有という四つの活動について作品に即して見てきた。文化そのものについて活動はどのように見えてくるだろうか。ここで言う文化とは現実の人々の営みそのものだ。厳密に定義付けられた、高尚ないわゆるハイブロウな文化とは異なる。あらゆる精神活動の表れとその累積は多数多様の文化になり、およそ人の営みはそれぞれ文化と呼べる。数多ある小説や映画作品も、その作品の善し悪しは別として、そうした文化を構成する。少数の作品や身の回りの文化を見ただけでは把握しきれないと認識しつつ、四つの活動を巡る文化の考察は作品ごとに軌道を修正していくことにする。

これまで見てきた十九世紀イギリス文学には、文化への特別な関心や憧れが仄かに見えていたが、それは作品の書き手たちの生きた時代が文化観の揺らぎにくい時代であったということと関係している。このことは第一次世界大戦以前の書き手たちの作品に顕著だ。

文化へのあこがれや文化観の継承はどのように起こるのか。『ヘンリー・ライクロフトの手記』（一九〇三）を著したジョージ・ギッシング（一九五七―一九〇三）はありし日のギリシャとローマ帝国を見ていた。かれの文化観は、第一次世界大戦以前の、ヴィクトリア朝のイギリスのそれであった。当時のイギリスもまたひとつの帝国にほかならず、かれはこの帝国の内部に生き、そこからギリシャとローマに眼差しを注いだ。ギッシングには『南イタリア周遊記』（小池滋訳、岩波文庫、一九九四）という紀行もある。ベンジャミン・ディズレーリ（一八〇四―一八八一）、ギッシング、エリオット、フォースター、コナン・ドイル（一八五〇―一九三〇）のシャーロック・ホームズらを論じた石塚裕子の『ヴィクトリアンの地中海』（開文社出版、二〇〇四）という研究書もある。

二つの大戦を経験したヴァージニア・ウルフやエドワード・モーガン・フォースターから、「文化がない」と言われそうなチャールズ・ディケンズの作品のなかにも文化にあこがれる人物が登場する。ロンドンのごみ処理で財をなした『われらが共通の友』（一八六四―一八六五）のボフィン氏がその人物で、ありあまる財産ができ、さあ今度は文化だと決意し、あやしげな自称詩人をやとってエドワード・ギボン（一七三七―一七九四）の『ローマ帝国衰亡史』（一七七六―一七八八）についての講義を受ける。フォースターは自分は「お金の島」にのっているから小説を書けるのだと承知している（『小説の諸相』中野康司訳、みすず書房）。ある意味で当然のことながら、そうした資金があればこそ小説が書けたし、『アレクサンドリア』（中野康司訳、晶文社）といった息の長い著作にも手をそめられた。

ヴァージニア・ウルフも女性の自立には鍵のかかる部屋と一定の収入が必要だとケンブリッジ大学のあるコレッジの講演会で述べた（『私だけの部屋』新潮文庫、みすず書房。『自分ひとりの部屋』平凡社ライブラリー）。文化といっても先立つものがなければ成り立たないというのは今も昔も変わらないし、洋の東西を問わない。

グランドツアーと文化観

のちに〝ブルームズベリー〟[1]というグループで括られることになったウルフとフォースターたちは、過去の帝国の文化を継承できた。イギリスの富裕層の子弟はグランド・ツアーと言って、大学教育を終えるとローマに赴いた（『グランド・ツアー』、中公新書）。イギリスばかりではない。ゲーテにも『イタリア紀行』（岩波文庫）という面白いトラヴェル・ライティングがある。そこには物語にありがちな縛りがなくて、時に断片的なところがかえって興味深い。物語に慣れ親しむと、旅行記の中にあるはずの物語の不在に気づき、物語を読んで育つ、成長する意味をあらためて知る。その経験が、物語をさらに理解し、人々の共通の世界を知り、生きることにつながる。

ディケンズもジェノヴァを起点にしてローマをはじめイタリア各地を訪ねた（『イタリアのおもかげ』、岩波文庫）。迷路のようなジェノヴァの細道をこれまた迷路のような文体で綴った作品だ。こうした紀行はかれら文人たちの若いころの経験を綴ったもので、内容は生気と活力に溢れ、日本の若い読者にも刺激的、年配の読者にも若いころの未熟さや向学心を思い起こさせて刺激に富む。ディケンズの『ピクウィック・クラブ』がおもしろいのも、それが行き当たりばったりの状況の描写に始まるからで、作品に筋めいたものを入れようと作家が考え始めた段階で、むしろ読者に負荷がかかる。

イギリスからイタリアに渡った人々の文化観を目にすることはできないか。ならばイタリアに行けばよいということにもなろうが、ここでは文化の流れを問題にしている。イギリスの人々のふるいのかけかたが見たいところだ。ロンドン、地下鉄ホルボーン駅に近いリンカンズ・イン・フィールドにあるサー・ジョン・ソーン・ミュージアムがそれに応える。個人の所有物を展示する博物館だ。サー・ジョン・ソーン[2]は建築家だった。文字を通して外国の文化を学びもしたであろうが、目に見えるもの、手で触れることのできるものに関心があった。ギリシャやローマの彫刻などが、イギリスの画家ウィリアム・ホガース（一六九七—一七六四）の作品などと一緒にひとつの建物に調和しながらおさまっている。

日本にもグランド・ツアーに似た旅行をした人が何人もいる。ただしこちらはイギリス、フランス、ドイツからイタリアを目指すというのとは少し違う。たとえば立花隆（一九四〇—二〇二一）の『青春漂流』（一九八八）。

紀行にも弱みはある。出かけた土地のうわべのみを移動につれて寄せ集めこれを文章にすると、軽快感こそみなぎるものの、土地の深みに至らず通り過ぎる場合もある。一か所の居座って書いた堀田善衛（一九一八—一九九八）の『ミシェル　城館の人』（二〇〇四）のような作品は深みへの志向を埋める。

都市と文学

チャールズ・ディケンズのロンドンとかジェイムズ・ジョイス（一八八二―一九四一）のダブリンという具体に、都市を描く作家がいたことは作品を読めばわかることだが、それを意識的にテーマとした日本語の本は一九七〇年代以降の産物と見える。中西敏一の『チャールズ・ディケンズの英国』（一九七六）。当時、そう簡単にロンドン歩きもできなかったので、ここに示された一見地味な現地確認は、その地図とともに、想像力をかきたてた。チョーサー（一三四三頃―一四〇〇）、スペンサー（一五五二頃―一五九九）、シェイクスピア（一五六四―一六一六）、ジョンソン博士（一七〇九―一七八四）、チェスタートン（一八七四―一九三六）、ロレンス（一八八八―一九三五）、エリオット（一八八八―一九六五）、ソロー（一八一七―一八六二）、ウィラ・キャザー（一八七三―一九四七）、トマス・ウルフ（一九〇〇―一九三八）などの作家たちを扱う刈田元司（一九一二―一九九七）編の『都市と英米文学』（一九七四）はさらに多くの執筆者たちの土地と文学についての考察で、読者はそのなかから自分の好む土地や作家を選び取ることができた。これら二冊の日本語の都市論のほか、英語による都市論は無数にある。トニー・タナー（一九三五―一九九八）の『言語の都市』（一九八〇）も読みごたえがあった。ロンドンの書店に入るとロンドンコーナーがあって、つねに更新され新しい読者を待っていた。マンハッタンでニューヨークに関する本ばかりを集めた書店に足を踏み入れたこともある。今いる場についての本ということで、場のミニチュアというか場の凝縮の集合体が目の前にあった。

日本文学については何と言っても磯田光一（一九三一―一九八七）の『思想としての東京』（一九七八）と前田愛（一九三一―一九八七）の『都市空間のなかの文学』（一九八二）や『近代日本の文学空間』（一九八三）が読者を作品の外へと連れ出した。もとより理想は作品を読み、都市を歩き、自分でその関係を考えることだが、考えたあとにこうした本を読むと、自分の読みの浅さを実感したものだ。そしてまた本を開く。都市を歩く。

前述の研究があって、また無数の読者や研究者の現地踏査や散策や遊歩という営みがあって、今、われわれはロバート・キャンベル編の『東京百年物語』（1・2・3、十重田裕一・宗像和重共編、岩波文庫、二〇一八）のような本を手にすることができる。

ジェノヴァのディケンズ、フィレンツェのエリオット　『ロモラ』

人生の半ばと『神曲』にあやかったわけではないが、ディケンズやジョージ・エリオットのイタリアの片鱗に触れたいと思い立ったことがあった。ロンドンの小さな旅行社に出かけ、この空港、この列車、このホテルと決め、ホテルと航空券だけをおさえ、ジェノヴァに飛び立った。飛行機はバスのように小さく、すぐにジェノヴァに着いた。機上、日本人の年配のグループ旅行客に出会った。大学時代の同級生の集まりで、男性の年齢はみな同じ、女性の年齢はばらばらだった。年に一度、そうやって旅をするらしい。隣り合わせのある婦人が「わたしたちには来年ということはないかもしれませんから、思い切って」と言っていたのを思い出す。人生の締め切りということをいつも考えている年齢ではなかったが、この言葉はその後じぶんのなかでなんども反芻し、今に至っている。

ジェノヴァは白と黒の石の街で、道はディケンズが『イタリアのおもかげ』で記しているように狭い。迷路のようにも見えるが、そこは小さな街なので、中心部は少し歩いていると慣れてくる。メインストリートを眺めたり、港の方に行ったりとたちまち時が経った。宿に戻ると、次の目的地フィレンツェの映像がホテルの小さなロビーに映った。なにやら騒々しいので、宿の女主人にフィレンツェの宿から事前に来たファックスを見せると、その宿に電話してくれた。二回、三回とかけても電話が通じないという。フィレンツェの宿は、フォースターが『眺めのよい部屋』で描いたホテルだったか、その近くだったかで、ウフィッツィ美術館のすぐそばだった。

若さも手伝って、とりあえず翌朝現地に足を運んだ。朝早くジェノヴァを出てフィレンツェに向かう列車の旅は、途中、田園風景やら山々やらが見え、後知恵かもしれないが、日本の新幹線の旅とそう変わらなかった。観光地以外の沿線には、地元の人の生活が車窓からも垣間見えた。

フィレンツェ駅から宿に向かうとそのあたりが通れない。これでは今日はホテル探しから始めなければと列車の疲れも緊張に変わり、人込みを離れようとする。一人の男が近づいてきた。どこから来た、どこへ行く、ときいてくる。ホテルの予約の書類を出せという。書類を出すとこちらに来いと言われ、人込みのなかにいるかぎり、何かあったら、声をだせばよいと、ついて行くと、別の宿を用意する、同じ料金で星のランクをひとつあげるがどうだ、という。昼間のことで、そのホテルも近く、覚悟を決め、ついていくと、フロントの男性が、安心してお泊り下さいと英語で言った。小ぎれいなホテルだ。全体に洒落ている。これでフィレンツェ滞在はなんとかなったと安心し、食の確保の場所を調べたり、地図やブローシャを集め出した。

アルノ川はあまりに近かった。そう高くもない屋上に出るとポンテ・ヴェッキオ（ヴェッキオ橋）が目に飛び込んできた。屋上の花はよく手入れされ、橋はまたとないアングルでカメラにおさまった。『ロモラ』のフィレンツェをディケンズのロンドンのように歩いた。その当時、メアリー・マッカーシーのフィレンツェ本を知っていたらと今にして思う。大統領の車が、オートバイとパトカーに囲まれ、タイヤがぼろぼろになるのではないかと思えるほどのスピードでフィレンツェの石の道を疾駆するのも目に入った。頃合いを見てローマに旅立った。そのローマやその後のヴェニスの記録がどうも出てこなくて、断片ばかりが頭に残っている。

ジョージ・エリオットの『ロモラ』を読んでからフィレンツェに出かけると、ここがどこそこと気になり出す。ジロラモ・サヴォナローラ（一四五二―一四九八）が焚刑に処せられた場所は、シニョーリア広場が分かりやすいとしても、サン・マルコ修道院にあるその小さな寝室と居間からなる住居を見ると、当時の生活ぶりがよみがえる。時間をさかのぼって平気でいられるのが、歴史的な都市だ。

フィレンツェはエリオットにとってもそういう都市であったのだろう。フィレンツェに滞在し、なにかつかみきれていないという感覚を払拭するためには、英語にして六百頁を越える本を書かざるをえなかったのかもしれない。ロンドンをフィレンツェに置き換えてみたということもあるかもしれない。作家がある場所を自分のものにするには、そこを綿密に描くことが近道だ。多くの都市小説が作家のそうした衝動に発している。いきなりエリオットの大部な作品が負担という場合は、E・M・フォースターの原作の映画『眺めのいい部屋』を観る。ダフネ・デュ・モーリエ原作『今、見てはだめ』(一八九七―一九八〇)を読むか、その映画作品『赤い影』(一九七三)を観てからヴェニスに行くというのもよい。ヒッチコックの名作『鳥』(一九六三)の原作者だ。あるいはトーマス・マンの『ヴェニスに死す』。

『ロモラ』とはこの作品の主人公の女性の名前だ。母親を亡くし、父の世話をし、慈善活動に身を投じる。父は気難しい学者で、娘はこれによく耐え、父の研究の助手のようなことをしている。物語は父の学問のなにがしかを継承しつつあるというところから始まる。

エリオットは『ロモラ』で、学問の世界に加え、メディチ家に代表される政治の世界、それを裏付ける経済の世界、そしてサヴォナローラに代表される宗教の世界を描いた。フィレンツェを舞台

フィレンツェとアルノ川（著者撮影）

ヴェッキオ橋も人々の姿の見える下の道は物資や人の往来という共有的営みに供されたが、その屋根と壁に覆われた通路は時の支配層が自らを人目にさらすことなく移動するためのもの。まして情報が共有されることもなく。

とするこの作品は、マキャヴェリといった政治学者も登場し、まさしくさまざまな分野の人々の交錯する市場のような場となった。かれらは必要に応じて意見を交わす。情報を交換する、商売をする。

市民レヴェルでも、世界中の都市と同様に、情報交換が行われている。たとえば、フィレンツェの床屋。かれは客との軽妙な会話を仕事の一部とし、フィレンツェのことならなんでも知っていると言いたげだ。街を治める側からすれば、庶民になんでも筒抜けではこまるから、市庁舎から廻廊をめぐらすなどして、だれがだれといつどこで会ったかをわからないようにする。

ロモラは恋に落ちる。ギリシャ人男性で今ではメディチ家の通訳をしている。父のもとで静かな暮らしに慣れていた才女ロモラは、この派手で積極的な男ティートにころりとまいる。二人は結婚する。だが、ティートはロモラの父の死後、その蔵書を売り払ってしまう。知の継承はならなかった。ティートにはフィレンツェの郊外の村にもうひとり妻がいた。子供が二人いた。こちらでティートはいわば肉体の継承を行った。

父の学問をすべて継承することもなく、夫と共通のなにかを持つでもなかったロモラは、宗教家サヴォナローラの教えに救いを求めた。しかし、愛が学問に容易にとってかわるものでないのと同様、宗教が愛に容易にとってかわることもなかった。サヴォナローラの教えに共感を寄せることができなくなり、その焚刑を目にし、またロモラは孤独になる。その先でロモラが何をつかむことになったかというのが、この作品の結末だが、それを一行で述べても小説の醍醐味は失せるばかり。

小説とは結末の一頁、一行にいたるまでの量の蓄積に意味があるので、結末を述べても、仕方ない。量を堪能した読者のみが、たった一頁、たった一行の意味の深さを理解する。この作品については、ヘレニズム文化からキリスト教文化、さらにその両者を離れてロモラが到達した人道主義的信念の三つの間でのロモラの成長の物語という言い方もできる。文化的考察としてはそれでよいが、そうまとめるとそこで終わる。人間というのはそのように割り切れない。それを小説というジャンルがすくいとる。

フィレンツェのフォースター　『眺めのいい部屋』

さらに時代を下ったフィレンツェをE・M・フォースターの小説『眺めのいい部屋』の映画で見ておこう。ウフィッツィ美術館近くのペンション・ベルトリーニに泊まった客たちが大きなテーブルで夕食をともにしている。ロンドンからやってきた従妹どうしのシャーロット（マギー・スミス、一九三四生）とルーシー（ヘレナ・ボナム＝カーター、一九六六生）が宿の女主人との手紙のやり取りとは違い、自分たちに眺めの悪い部屋があてがわれたことをこぼしている。眺めのいい部屋とは、今いる路地の見える部屋ではなく、アルノ川が見える南側の部屋のことだ。それを聴いていたエマソンと息子のジョージが部屋の交換を提案する。二組の旅行客は遠足に出かけジョージがルーシーにいきなりキスをする。遠くで見ていたシャーロットは保護者として責任があると考え、ルーシーの母親に相談すると言い出す。ここまで書くと六冊の長編を書いたジェイン・オースティンのあったかもしれぬ七冊目、八冊目でも読んでいるような気になり、現実を丁寧に確認する作品だと早合点しそうになる。ところが後半、さすがにフォースターはその小説作法の熟達ぶりを発揮する。自宅にもどったルーシーに次々と事件が起きる。名士ヴァイスが求婚し、ばたばたと婚約する。地元の牧師ビーブは落胆する。エマソン父子が近所に越してくることになる。だれにも言わないと約束したフィレンツェでのキスの一件をシャーロットが夕食の席にいた何にでも口をはさむ小説家エレナ・ラビッシュ（ジュディ・デンチ[3]、一九三四生）に話してしまったことが明らかになる。テニスに興じるルーシー、弟のフレディ、気になる存在ジョージたちの前で、婚約者ヴァイスがその小説『バルコニーの下で』の問題のシーンを知らずに朗読してしまう。作中人物の個性をひとりひとり端的に描き、一同に引き合わせ、どうにも出口がない、さてどうするというこの技法は、できそうでいてそう簡単ではない。ルーシーはヴァイスの求婚に対し、ただ自分を「所有」したいだけと言って断り、ギリシャ旅行に出て、地元の噂の中心になることを避けようとする。

マーガレットは、秘密を小説家エレナに話した自分が許せないとルーシーに言うが、ルーシーからいつも許してきたじゃないのと指摘される。この作品はだれとだれが秘密を共有しているかということ、それがいつ明らかになるかということで進む。映画の章題にはだれかがだれかについている「嘘」ということばが多い。『眺めのいい部屋』にはルーシーと母親が話し合う場面がある。場

フィレンツェの絵はがき

所は母親の化粧部屋。母親はルーシーに窮屈な下着の「うしろのボタン」をはめてほしいという。

女性が異なる現実を演じる女優だという意味では、サマセット・モームの[4]『劇場』を映画化した『華麗なる恋の舞台で』(二〇〇四)がある。女優にとって舞台の上が現実で、舞台を離れたら舞台の上とは違う現実感覚があるのではないかと思わせる作品だ。女優と相手方はその感覚を利用してか、友人の集まるパーティで突然喧嘩を始める。周りの人々はあっけにとられるがやがてそれが芝居の一場面を現実のパーティの席に持ち込んだ二人のお遊びと理解する。パーティの余興も奥が深い。

もうひとつ、フォースターの技法に際立つものとして現実を芝居のように演じるコミック・キャラクターの創造がある。ビーブ牧師の調子のよさはオースティンのコリンズ牧師に近い。かれとジョージ、フレディがフレディ宅の近隣の池で泳ぐ様は、階級、意識の別なく全員が文字通り裸になってはしゃぐという点で記憶に残る。しかも、最初に正面を向き、おまけにぼかしを入れられる人物がビーブ牧師というメタレヴェルのおまけがつく。そこに散歩のルーシーや母親やマーガレットが通りかかり、年長者が「Look(「見て、あのひとたちよ」くらいの意味に敷衍できる)」と言ったすぐあと「Don't look(「見ちゃだめよ、淑女の見るものじゃないわ」くらいの意味に敷衍できる)」と言い直す。これほど短いことばで見る者を笑わすには、たとえばビーブ牧師などの作中人物を十分に描き込んだあとでなければできない。

フォースターの小説の読者もまたこういうところを堪能する。異質な者どうしが出会ったときのぎくしゃくした状況がいかにして次の均衡に至るか、その過程をどう評価するかで読者の好き嫌いが分かれる作家だ。

文化の入口

文化の入口は三つある。ひとつは身の周りの文化の具体的表現に触れるかたち。導線としては、地方自治体の広報や美術館、博物館のフライヤー、コンサートホールのフライヤーがある。ふたつめは用語の定義から入るかたち。「文化」とか「文化人類学」といった用語をたどる作業から。三つめは人から入るかたち。「文化」について語る人々の著作から入る。書き手ばかりでなく人そのものが文化なのだから、人を観察すれば文化の理解に至るという、人中心の文化の入口も含まれる。目の前に美術館や博物館のフライヤーがある。地方自治体の広報がある。街に出れば、文化活動の掲示が無数にある。これらは文化活動を指し示しているので、その指し示している先、つまり指し示されている実態を確認すれば、文化にたどり着く。チケットを買いライブに出かければ文化の実態に触れることができることは承知している。この国でわれわれは憲法に保障された「健康で文化的な生活」を送っていることになっている。「健康」は肉体に関わる。「文化」はただ生きているだけでは足りないという考え方を表わしている。「健康」も「文化」もいろいろなことばの構成要素となる。

「文化」ということばのつくる表現は無数にある。中高生は文化際の準備をする。学校の文化部の予算規模はいかばかりか。文化財保護を叫ぶ声。文化庁、文化政策、上野の東京文化会館、今ではあまり聞かなくなった文化人という表現。新宿歴史博物館の展示になるほど過去の一形式となった文化住宅、書店の書棚がその隆盛を物語る食文化、守屋多々志（一九一二―二〇〇三）が描いたノートルダム寺院のなかにいる岡倉天心（一八六二―一九一三）の『茶の本』（一九〇六）のなかの文化。金沢にその記念館ができ身近になったかに思える鈴木大拙（一八七〇―一九六六）の『禅と日本文化』（一九四〇）。山出保の『金沢をあるく』（岩波新書、二〇一四）にも紹介がある。さらに在来線を使う西田幾多郎記念館。坂口安吾（一九〇六―一九五五）が『日本文化私観』（一九四三）で述べる私観の日本文化。『日本文化における空間と時間』（二〇〇七）の著者加藤周一（一九一九―二〇〇八）。加藤の自伝『羊の歌』（一九六八）と『続・羊の歌』（一九六九）もその世代の文化習得のかなり恵まれた一例と読める。『文化の両義性』（一九七五）の著者山口昌男（一九三一―二〇一三）の名前とともに栄えた文化人類学。異文化、外国文化。出口保夫・編『21世紀イギリス文化を知る事典』（東京書籍、二〇〇九）におさめられているイギリス文化、中等教育で学習する北山文化、東山文化、鎌倉文化。家永三郎の『日本文化史』（岩波新書、一九八二）の年表の伊能忠敬の名前は人を千葉県、佐原へと誘う。

カタカナ表現も多い。外国でも、また日本国内でも経験しうるカルチャー・ショック、ポップ・カルチャー、サブ・カルチャー、ハイ・カルチャー、ロウ・カルチャー、ホミ・バーバ（一九四九生）

の本のタイトル『文化の位置』、そしてカルチュラル・スタディーズ。

　不思議なことにこうした用語で表現すると、むしろ文化が希釈されるような印象を受ける。具体的活動はことばにすると空しく聞こえることがあるが、文化ということばによって表現される実態が空虚だというのではない。また、文化に注がれた人の時間や、結果として生じた文化財の価値、いや文化財と呼ばれることもないモノの価値はその表現によって下がることもない。

衣・食・住、文化のフラット化

　今世紀に入り、文化のフラット化がさらに加速した。衣食住で考えるとこうなる。食がわかりやすい。懐石料理は出される順序が決まっているので、これが変わることはない。価格で品数が変わっても、提供の順序は変わらない。洋食も同様だ。食前酒あり、サラダあり、魚あり、肉あり、何がありと来て、最後にデザートと飲み物というかたちが変わるものではない。順番があるということはこうした食がフラットではないこと、モダンだということを意味している。食にストーリー性があるということだ。見合いが家族どうしのストーリー性の相性をさぐる場なら、ストーリー性のある食事でないと具合が悪い。フラットな食事では家族のストーリー性のメタファーにはならない。レストランに行くにしても、自分でつくるにしても、順番を踏襲する料理はモダンだ。ではポストモダンな食はあるのだろうか。冷蔵庫にあるものを組み合わせるという料理は、時にポストモダン的、フラットな食事だ。あるものをすべてテーブルにならべ、ひとつの料理と別の料理の間に順番も階層もない。人を招いての持ち寄りのパーティとなるとポストモダンな食卓となる。ある人は日本酒を、ある人はビールを、ある人はワインを持ち寄る。ある人は魚を、ある人は肉を、ある人は、ピザを持ち寄る。有能なホスト役はそのフラットな飲み物や食べ物を咄嗟に順序付けし、階層分けし、ポストモダン的混沌をモダンなかたちに整理する。客も持ち寄り品すべてを一応頭に入れて、ホストが整理した順番のなかで自分の好みに合わせて取捨選択を行う。食文化も変容し、変質し、流動する。しかしストーリーの秩序回復、復元の力は、いくつもの日常行為のなかでもかなり強い。生命体維持と深くかかわるからだろう。幕の内弁当というのは、モダンからポストモダンに移行する中間にある。懐石風に品目としては野菜あり、魚あり、肉あり、デザートありの構成だが、その順を踏襲するか否かは食べる人によって分かれる。

衣はどうか。身内の着た服をばらし、裁断し、年少者が着る服に仕立て直す、あるいは布地を買ってつくるのと、似たようなデザインの服を着るのとでは、着る者の感覚も違ってくる。前に着ていた人や作り直した人の痕跡が染み付いた衣と、デザインとサイズの選択のみが買い手の気がかりという衣では、衣も異なる。名古屋の大須観音周辺の店店に飾られたヴィンテージ商品のように人が着ていたものでもその痕跡の薄いものもある。反対に曾祖母のコートを着る曾孫の娘を見て、祖母は写真の中のモダンガールの再来と見るかもしれない。ポストモダン社会には稀な継承の例だ。

住は賃貸と持ち家に大別される。賃貸の住人は一定期間で移動していくので、住としての環境とのかかわりが薄い。持ち家と環境との関係はいっそう密だが、十年単位、百年単位では、これも変化する。四、五十年も経つと、木造住宅が完全に別の家に入れ替わっているということがよくある。これは住む側から見ての家の物語性の濃淡に関係する話だが、建てる場合にはさらに物語性に関し、個々の建物で違いが出る。ハウスメーカーの工場から原材料が運ばれてくる場合と、工務店の大工が中心となって家ができあがっていく場合とでは、施主の経験も違ってくる。引っ越しをおっくうとしない作家は、家を建てているのではなく、作品を建てている。作品を創造しているので、借家と環境の希薄を気にかけない。転勤の多い職業も、任地での仕事を組み立てる日常だ。他方、普請道楽の住人はあれやこれやと言い、家をいじる。家族が増えたと言っては木を植える。カズオ・イ

「日本の食とお茶
—近江の食文化に絡めて—」
パンフレット
2019.4.27
成安造形大学近江学研究所

シグロの『浮世の画家』の小野がよい例だ。

外国文化へのあこがれ

ものを書く人であれ、思索する人であれ、創作をする人であれ、およそ表現者にはそれぞれ自分の年齢に応じて志向する場がある。留学先を選ぶ際にも、その方向性が関係する。遠藤周作（一九二三―一九九六）の『遠藤周作全日記』（二〇一八）にフランスの記述が多いのも留学先がフランスだったからで、かれが大学で仏文学を学んだからだ。

さかのぼって夏目漱石のイギリス、中野重治（一九〇二―一九七九）のドイツ、堀田善衛（一九一八―一九九八）のスペインやフランス、柄谷行人（一九四一生）のアメリカと、かれらの視線の先にある国々というものがある。

外国ではどうであろうか。ウォン・カーウァイの監督作品『恋する惑星』（一九九四）でフェイ・ウォン（一九六九生）が演じるのはカリフォルニアにあこがれる娘の役だ。この例はわかりやすい。映画監督のウディ・アレン。二〇二〇年代初頭生まれで二十歳前後の若者たちにきくと、名前を知っているのはわずか、作品を観ているというのはさらにわずか。かれらの親から上の年代が楽しんだ作品だ。ビートルズを知らないのと状況は似ている。ビートルズの作品を年譜のように記憶し、おりあらば歌ったりするのはかれらの祖父母の年代の人々で、その人々は若い世代の音楽を知らない。

かれらがビートルズと知らないでその曲に触れ、いい曲ではないかと思うという設定の映画『イエスタデイ』（二〇一九）が成り立ちうるのも、世代間で抱えている文化が著しく異なるからだ。少し年齢が違っても、あるいは僅かに住む土地が異なっても、互いにわからないということがある。

知らないより知っていたほうがよかろうが、文化の相対性という観点から言えば、知らないというのもまた自然。かれらにはかれらにしかわからない文化があるのだから。シェイクスピアについても同様だ。知らなくても生きていくのに困らない。

漱石の『三四郎』（一九〇八）の三四郎が東京ばかりを見て、東京の学生暮らしを満喫し、最後に少し痛い経験をした時代もあれば、ウディ・アレンがブルックリンに生活しマンハッタンにあこが

映画『イエスタデイ』のパンフレット
（東宝東和、Universal Studios、2019）

れ、そこから実はずっとヨーロッパに目を向けていたという半世紀以上あとの時代もあった。二十一世紀、望むらくはコロナ禍が終わり、意を決し手段を確保すればほとんどどこにでも行けるという時代にあって、人々の視線の先の土地は無数であり、視線は幾重にもからみあっている。

現実と憧憬

場に対する憧れは現地を訪れてますます大きく膨らむ場合と現実によって打ち砕かれる場合に分かれる。筆者がマンハッタンに出かけたのは、二〇〇一年以前のことだったが、予想していたよりもきれいな街という印象をもって帰ってきた。今でもその時の印象が持続し、それはウディ・アレン描くマンハッタンとかなり重なる。あるいはそう思い込んでいる。植草甚一がニューヨークを初めて訪れたとき、雑誌で見たニューヨークのままだったと感じたという話があるが、著者のマンハッタン経験もそれに近い。今は雑誌に加え、インターネット上の画像、動画、マップなどがあるので、憧憬の産物と現実が大きく食い違う可能性は低い。それでも現実は憧憬を砕き、人に土地への愛憎という感情を抱かせることはままある。フライヤーやパンフレットは憧憬を掻き立てるが、しばしば訪問者を裏切る。文学作品もその作品舞台の場への憧憬を掻き立てるだけ掻き立て、訪問した読者ばかりが現実のなかに置き去りにされることもある。

大人でも子どもでも遠くの土地のことはわからない、わからないから憧憬を抱く。憧憬には距離が必要だ。アメリカから見てのロンドン、バルセロナ、パリ、ローマ。そこをウディ・アレンはうまく使う。作中人物をタイムスリップさせて過去という離れていく時間と遠い場所を使う。時間と距離を感じる音楽も利用する。

しかし、実のところあらゆるものが憧憬の対象となる可能性を秘めている。たとえば本。書店に行き本を手に取り、なかに何が書いてあるのかと思いめぐらす。これまで読んだ本のいくつかが経験させてくれたまたとない世界観を、いま手にとっている本がまた見せてくれるのではないかと思って買う。

映画もそうだ。映画館に行く。DVDを購入する。インターネットで観る。いずれにしても、ストーリーが終わるまで、観ている自分が少し変化できるのではないかと期待して観始める。

翻訳を始めるときもそうだ。まず一通り本を読む。そこで一度目の満足感を得、次に日本語に訳し始める。すべてを日本語に訳し終えたとき、またひとつの世界観が理解できるであろうと期待しながら。

「そこのみ」

別の場に憧憬を抱く。そこで今の場を出ようとする人が現れる。ジョゼフ・コンラッド、ヘンリー・ジェイムズ、V・S・ナイポール。かれらはみなイギリスの外の世界を出て、イギリスに住み着いた。カズオ・イシグロとなると話は別で、その語るところでは、イギリスに到着して間もないころは、いつか自分は日本に戻ると考えていたという。

ナイポールは生まれた場を出た人々を描いた。弟のシヴァは出ない人々、出られない人々を描いた。「そこ」を出る、「そこ」を出ないの問題を考える上で、身近な作品群がある。『海炭市叙景』（一九九一、未完）の著者で函館を描いた作家、佐藤泰志（一九四九―一九九〇）だ。佐藤にとって「そこ」とはまず函館であろう。『そこのみにて光輝く』（一九八五）の映画化作品（二〇一四）の作中人物たちにとっても、「そこ」が生きる場だ。主人公たつおにとってどう見てもアパートは仮の住いと見える。そのためたつおはしばしばかれにとっての「そこ」の夢を見る。「そこ」とは山だ。山に発破をかけ道路の石材用の石を運び出す。その山こそがたつおの「そこ」だ。それがパチンコ屋で出会ったたくじの姉ちなつを知るに至り、たけしにもうひとつの「そこ」ができる。ちなつにはこれまでかがやける「そこ」がなかったという。自分の居場所がなかったという。運送会社の事務員も長続きしなかった。家族を放り出してどこかに行くということもできず、植木会社を営むりゅうじに縛られたままだ。新しい「そこ」を確保するためにたけしは「やま」に戻ろうとする。自分が「かがや」ける「そこ」に到着できた人は幸福だ。

住む場所、書く場所

住む場所の憧憬は切りがない。宇治の源氏物語ミュージアムに行けば、御殿が春夏秋冬を想定していると後で知る。自宅の北向きと南向きの部屋で夏は北、冬は南と思いつく。ポルトガル、リスボン郊外のペナパレスには、複数の外国を模した部屋があって、宮殿内を移動するだけで、外国に行けるかのようなからくりになっている。これも外国への憧憬の凝縮の図だ。

かなうかなわないは別として人も渡り鳥のように季節、気温に合わせて移動してみたいと一度や二度は考える。谷崎潤一郎が引っ越し魔だったというのも、ただ単に過ごしやすさだけではなく、書くという行為と大きくかかわっていた。引っ越しというある意味で単純な行為が人の考え方を変える。人にまつわる方向意識を変える。人は漠然と遠くにいる人を、東にいる人、北にいる人、西にいる人、南にいる人という具合に自分の身体のありどころを中心に方角でとらえる。

作家の書斎の間取りや机の位置や本棚の位置がことのほか意味をもつのも、そうしたことが関係している。部屋の模様替えが筆力の低下の回避につながる。椅子を取り換えるだけで、執筆時間がのびることもある。ソファでの睡眠はベッドでの睡眠にかなわない。ホテル、新幹線、喫茶店、職場、自宅と転々としながら書き継いだものには、懐石料理並みの編集による物語性の復元作業が必要だ。さもなければ、人が持ち寄った偶然的な組み合わせの食べ物の集合のように、フラットなテキストに仕上がってしまう。

ウディ・アレンがヨーロッパ世界に憧憬を抱いたのは二十世紀後半のこと。かれに先んずること半世紀以上の昔、同じくヨーロッパ世界に憧れ、そしてわからないとつぶやくような作家がいた。『ホーソーン研究』（小山敏三郎訳、南雲堂、一九六四）のなかでアメリカには小説の設定に使用できるものがないと嘆いたヘンリー・ジェイムズだ。[5] 日本の大学では、英語の教科書として薄いため学期中に終わるというので『デイジー・ミラー』（一八七九）あたりが使われてきたが、読んで読者の心に残るのは『鳩の翼』（一九〇二、158頁参照）や『黄金の盃』（一九〇四）などの長編だ。ディケンズにあって『クリスマス・カロル』（一八四三）がものたりなく『荒涼館』、『リトル・ドリット』、『われらが共通の友』に向かうことになるのと変わりはない。ただジェイムズの長編もディケンズの長編も日曜日に紅茶を飲みながら、あるいは寝転んで読むには原文は難解で、大学院の演習あたりでも一回に何頁も進むというものではない。

　小説が書けないというジェイムズの嘆きについてさらに触れると、それはジェイムズが小説と考えるような小説が書けないということであって、ジェイムズの作品や映画に横溢するモノがなくても、小説はなりたちうる。日本の作家で言えば立松和平（一九四七―二〇一〇）原作の『遠雷』（一九八一）。広い関東平野の北部の農村を舞台にしているので、病院、教会、大学などの施設が頻繁に出てくるというつくりではない。かわりにビニールハウスを場として文学が成り立つ。あるいは二〇〇〇年代の舞城王太郎（一九七三生）の『阿修羅ガール』（二〇〇三）。東京都調布市に住む女子高校生が主人公で、高校やその自宅は出てくるが、野川での乱闘など、ジェイムズの好みそうな設定ではない。

途中スレッドの文字が洪水のように溢れ、舞台のリアルが消える箇所もある。カズオ・イシグロではどうか。寄宿学校や病院などジェイムズの発想に連なりそうな施設は出てくるものの、忘れ難い場面である『わたしを離さないで』のキャッシーの独白の場に荒涼たるノーフォークの海岸を選ぶところなど、ひとつの小説作法の離れ業とも形容できよう。そしてナイポール。トリニダードにモノがないということすらも逆手に取り、『ビスワス氏の家』のような小説にしてしまった。モノがないということがぼやきや愚痴にとどまることなく明るさとユーモアにつながるところが才人の楽観主義、楽天主義と見えて、読んでいて嫌な気持ちにならない。

ジェイン・オースティンは田舎の屋敷数軒と教会から小説を作った。エミリー・ブロンテはさらに少ない数の建築物を舞台に『嵐が丘』を作った。ジョージ・エリオットは地方都市とその周辺の

映画『嵐が丘』リバイバル上映のパンフレット
2019.1.16
めいとうなつかシネマ／名東文化小劇場

屋敷や教会から『ミドルマーチ』を作った。ジョゼフ・コンラッドはコンゴ川（ザイール川）を遡上する小舟やテムズ川に停泊する大型船から『闇の奥』を作った。そこには空しく大陸奥地に砲撃を加える軍艦も出てくる。はからずもF・R・リーヴィス（一八九五—一九七九）の『偉大なる伝統』（英潮社、一九七二）で言及される作家たちに触れてしまったが、ヘンリー・ジェイムズにはロンドンの高級品店もフォロ・ロマーノもコロッセオもヴェニスのゴンドラも必要だった。そういう小説と荒涼たるノーフォークの海岸を描いたイシグロの小説は優劣をつけがたい。

『鳩の翼』

ここでヘンリー・ジェイムズの『鳩の翼』の映画化作品をとりあげ、作中人物の憧憬や誤解、挫折を確認する。映画『鳩の翼』（一九九七）の主人公の女性ミリー・シール（アリソン・エリオット）はアメリカの富豪の家に生まれたが、身寄りがなく病におかされている。城の修復に困っている財産目当てのイギリス人貴族マーク卿（アレックス・ジェニングス）が余命いくばくもないミリーとの結婚を望む。マーク卿には伯母のモード（シャーロット・ランプリング）の姪でケイト・クロイ（ヘレナ・ボナム・カーター）という意中の女性がいる。マーク卿はケイトにミリーの病のことを伝え、財を手にしたあと一緒になろうと迫る。ケイトには新聞記者のマートン・デンシャー（ライナス・ローチ）という惹かれている男性がいるが、伯母のモードも父（マイケル・ガンボン）も、金がなければ愛もなくなると諭す。ケイトからミリーの病のことを聞かされたマートンはケイトと秘密を共有し、マーク卿と同様の策略に出る。ところがミリーは本気でマートンを愛するようになり、マートンもケイトとミリーという正反対の性格の二人の間で揺れる。ミリーが亡くなり遺産をマートンにと指定する。

『鳩の翼』はミリーの遺産を継承するのはだれかという作品でもある。映画ではマートンもケイトも継承しない。二人は金を所有しないままの人生を送る。そもそもモード伯母がケイトを引き取ったのは、ケイトをマーク卿の妻にと考えてのことだ。モード伯母はケイトを手元におき妹と同じ道をたどらぬように計らい、今や阿片窟に出入りするケイトの父に生活費を週単位で渡す。ケイトはマーク卿と共有した秘密をマートンとも共有する。マートンはそれをミリーに詫びるが、その時、もはやミリーはマートンとケイトを恨む境地になく、すでに半ばこの世からの旅立ちの途上にあるかのようであった。

所有、継承、交換、共有ときれいに整理がついても、小説は具体的な場がなければ成り立たない。映画の利点を活かして、場とモノを見る。場はモード、マーク卿、ミリーの世界がひとつ、マートンとケイトの世界がひとつ、ケイトの父の世界と、大きく三つある。冒頭の地下鉄はマートンとケイトといった働きに出る中産階級の世界。ネクタイをし、帽子をかぶり、通勤する。マートンはクラブに通い、仲間の記者たちと議論を交わす。ハイド・パークに出入りする。下宿に戻って記事を書く。新聞社のオフィスで仕事に追われる。ケイトは当時の二階バスも利用する。と、ミリーの姿が目に入り、バスを降り、ミリーの出てきた建物のドアを確認すると、ドアの横にルーク卿という医師のプレート。ケイトはミリーを書店に見つける。ミリーは友人の医師の診察を受けに出かけていた言う。マートンとケイトは美術館に出かける。クリムトがかかっている。そこにミリーが雨宿りに駆け込む。ホテルのレストランで、ミリーはマートンをヴェニスに誘う。ケイトには人知れず訪ねる世界がある。父の住居、父の通う阿片窟やパブだ。ケイトは今や父の生活費と引き換えに伯母モードの家に住み、伯母はケイトをマーク卿に引き合わせる。マーク卿の家にはミリーもマートンも呼ばれる。

作品後半は場がヴェニスに移る。前半はロンドン、後半はイタリアという構成はディケンズの『リトル・ドリット』などを想起させる。ロンドンの三つの世界のうちミリーの世界とマートンの世界のふたつが、ヴェニスにもそのまま持ちこまれる。ミリーと付き添いのスーザンはパラッツォに滞在する。ケイトも招待を受け、滞在する。マートンは路地を入ったホテルに投宿する。作中人物はこの二つの世界を行ったり来たりする。それとは別に観光地にある開かれた空間として、水の道である運河、リアルト橋、サン・マルコ広場、ベッカリエ広場の魚市場、衣装を着てのカーニヴァル会場、病院、運河沿いのカフェ、サン・マルコ広場のカフェ・フローリアンがある。ケイトがひとりロンドンに戻ったあとミリーとマートンが訪れる大小の道、広場、ゴンドラの製作所、スクオーラ・ディ・サン・ロッコ、そしてマートンがスーザンとゴンドラで運ばれてくるミリーの棺を待つサン・ミケーレ教会は特別な空間だ。ヘンリー・ジェイムズ好みの空間はこれですべてそろった。マートンはロンドンに戻る。ケイトの訪問を受け、二人が緊迫のなか計略の始終につき相手の考えを確かめつつ、振り返るとき、ケイトはマートンのなかからミリーの記憶を消し去ることにとらわれる。裸身をさらしての空間の共有は互いを空しくするばかり。

その後、マートンはヴェニスを再訪する。ボートから降り小道を歩き始めるとミリーの声が耳に響く。マートンはミリーと共有した束の間のヴェニス散策の記憶のなかに生きることを選ぶ。

恋愛関係にあるか否か、あってもその細部は異なるものの、女性二人、男性一人という組み合わ

映画『鳩の翼』のパンフレット
（発行:アスミック・エース エンタテインメント株式会。© MIRAMAX FILMS & RENAISSANCE DOVE LTD,1997）

せは、よほど作家にとって扱いやすい状況なのか、ディケンズの『荒涼館』にしても、現代作家イシグロの『わたしを離さないで』にしても、イギリス文学によく出てくる。これがウディ・アレンともなると、四つ巴ともなり目まぐるしい。

ヘンリー・ジェイムズは一八四三年の生まれ。先に紹介したE・M・フォースターとは親子の年齢差がある。ところがフォースターの作品を映画化した『眺めのいい部屋』とジェイムズの『鳩の翼』を観比べると、時間は逆転しているかに見える。『眺めのいい部屋』に登場する男性も女性もヴィクトリア朝の装束のまま、発想もそのまま。『鳩の翼』が『眺めのいい部屋』に比して新しく見える秘密のひとつはそのファッションにある。映画『鳩の翼』のパンフレットのなかで光野桃はこう指摘する。

「この映画の舞台となっている一九一〇年（原作の一九〇二年を変更）は、モードの世界においても、「革命の時代」」

「過去の世紀が執拗に生き長らえていたそれまでに対し、この一〇年は一九世紀と二〇世紀が激しい摩擦を起こした過渡期」

「たとえばポール・ボワレが発表した東洋趣味の柔らかなドレスは、女性のふくよかな体の線を復活させせ」

「コルセットによって歪曲された「抽象的な存在」でしかなかった女性の肉体は、（中略）「個」の息吹を取り戻そうとした」

（映画パンフレット『鳩の翼』、光野桃「愛の痛みを際立たせる絢爛たる衣装」）

『鳩の翼』に先行する作品では、遺産の問題がもっと露骨に扱われた。映画『ある婦人の肖像』（一九九六）ではニコル・キッドマン（一九六七生）とジョン・マルコヴィッチ（一九五三生）が共演。最初にキャストを見たときに生じる違和感も作品の進行とともに腑に落ちる。オズモンドとかれと秘密を共有するマールの関係は、マートン・デンシャーとケイト・クロイの関係よりはるかに陰湿だ。ただイザベル・アーチャーだけが自分の置かれている状況を理解しない。従兄のラーフ・タッチェットの再三にわたる警告にもかかわらず。

一九八十年代ニューヨーク

日本のアメリカ文学研究者金関寿夫（一九一八—一九九六）がアメリカの作家にインタビューし、創作家の心のうちを探ろうとした本がある。『アメリカは語る』（講談社現代新書、一九八三）で、ここには現代詩人のジョン・アッシュベリー（一九二七生）、ゲイリー・スナイダー（一九三〇生）、彫刻家のイサム・ノグチ（一九〇四生）、モダン・ダンサーのトワイラ・サーブ（一九四〇生）、現代音楽家のジョン・コリリアーノ（一九三八生）、小説家のドナルド・バーセルミ（一九三一生）、フィリップ・ロス（一九三三生）、ジョン・アービング（一九四二生）、画家のロイ・リキテンスタイン（一九二三生）たちが登場する。かれらは創作の時間とそのもとになる現実の経験の時間の配分をどうするかに苦慮する。現実の経験に時間を割けば、創作の時間が削られる。創作に専念すれば、その源としての現実から遊離する。これだけでも十分に読み応えがある内容ながら、著者のリストにはさらに小説家ジョン・バース（一九三〇生）、画家アンディー・ウォーホール（一九二八—一九八七）、ウディ・アレンの名があったものの、アメリカ国際交流局経由でコンタクトが取れなかったという。著者の訪米が一九八二年と、ウディ・アレンが『アニー・ホール』、『インテリア』、『マンハッタン』とひとつのピークを形成する作品群を公開して、その余韻さめやらぬ時期であっただけに残念だ。

それでも『アメリカは語る』をここで言及した理由は、金関が「文化」、とくに「アメリカ文化」について本書のわずか十ページのプロローグで、わかりやすく解説しているからだ。金関は八十二年の二ユーヨーク到着の興奮を隠さず、「媚薬の街」と呼ぶ。かつて勤労と実業が重んじられた時代に文化が「継子」（原文のまま）であったアメリカの姿はそこになかった。文化の中心は、第二次世界大戦時のドイツのパリ占領あたりを機にニューヨークに移っていたが、それに加速をつけたのが、市民が「文化鑑賞」に時間を割くことを前提とする都市開発があり、この開発に結びついた中央政府、地方政府、財団、大企業による資金援助だった。ケーブル・テレビ（「音楽、演劇、実験映画、ダンス、詩の朗読などの放送」）の普及も芸術に人々の目を向ける助けとなった。

これらが相まってアートを志す人、アートファンがヨーロッパから逆流する。一九八十年前後はもはやヘンリー・ジェイムズがヨーロッパの虜となった時代とは異なっていた。著者が言うように、エズラ・パウンドの時代とも違っていた。

『アメリカは語る』はその本の構成のされ方で「文化」とは何かをさらりと言い当てる。資金助成を受けて文化活動を行うのは詰まるところ人であるから、その当人に会うのが文化への近道だという考えに沿って文化を理解しようとする。その点では本書が作品を読み解き文化観を捉えようとするアプローチと重なる。ただ著者として拙著で取り上げているアーティストたちに、会える会えないは別として、会いたいかと問われると、とりあえず作品があれば、と答えたくなる。もとより物

アンディ・ウォホール
Ⓟⓓ Portrait of the American artist Andy Warhol at his exhibition dedicated to Black transvestites in the US. Ferrara, November 1975

故したアーティストには会えない。現存のアーティストに会い、その存在感におしつぶされるのではないかという懸念を抱いているわけでもない。実際にウディ・アレンが『恋するバルセロナ』で描いたペネロペ・クルス（一九九四生）の演じる画家のような人がいれば、声を聴いてみたい気はする。そう観る者に思わせたら、監督の仕事は成功と言えよう。

『日はまた昇る』

著者にとってのアメリカ文学の中心にはヘミングウェイがいる。ヘミングウェイの『日はまた昇る』（一九二六）では第一次世界大戦のロスト・ジェネレーションと呼ばれる時代の人々が現実と理想の分裂したパリに出会う。その同名映画（一九五七）ではエヴァ・ガードナー（一九二二―一九九〇）がブレッド・アシュレー卿夫人を、タイロン・パワー（一九一四―一九五八）がジェイク・バーンズを演じる。ブレッドはジェイクがいないとき「心ここにあらず」という素振りだが、ナレーションの説明など無粋なものはなく、女優の演技ひとつでそれを表す。

かつて看護婦（英語でナースと言っている）と負傷兵の間であったブレットとジェイクがバーで再会し、二人だけになるために、二軒目に梯子してからの場面だ。一軒目の客たちまで二軒目に雪崩れ込んできて、もうひと騒ぎという流れになると、ジェイクはブレッド贔屓の老貴族とかれの連れてきたバンドのもとにブレッドを残し、静かに席を立つ。表に出るジェイクを気に掛けるブレッドは老貴族の輿に合わせて踊り、踊りながら自然の流れを乱さずバーの入口に向かう。入口に近づくと急に普通の足取りになり、ブレッドがそれまで踊りつつも内側では覚めていたことがわかる。入口からジェイクが本気で帰るのを見届けると、急にバンドに合わせ、遠くのジェイクを振り払うように肩を動かし、手を合わせ、バーのホールの中央に戻る。それでもブレッドの気がすまないのは、その後、老貴族とその仲間に付き添われて、朝の四時過ぎにジェイクのアパートに乱入することからもわかる。この一連の名場面、映画という表現手段独特のものだ。半世紀以上前に制作された映画で作品の時代設定は一世紀前になるが、古さを感じさせない。

現実と理想の分裂した状況を描くという点で、主演女優ケイト・ブランシェットのウディ・アレンの映画『ブルージャスミン』（63頁参照）ともつながるし、またアレンが『ミッドナイト・イン・パリ』（52頁参照）で描いだパリ二十年代とも比較できる。アレンのパリは極力明るい場として描かれ、その向上した映画技術やきらびやかな表現とはうらはらに古いと見えてしまうことすらある。ヘミングウェイは『移動祝祭日』などで当時のパリの不潔な部分も描き込んでいる。『われらの時代に』ではヨーロッパの戦場のエピグラフとアメリカの故郷を舞台とする短編がならべられていたように、作家の脳裏からは戦争が離れない。そうした陰影は『日はまた昇る』（原作、一九二六）、『武器よさらば』（原作、一九二九）、『キリマンジャロの雪』（一九三八）、『誰がために鐘は鳴る』（一九四〇）といったヘミングウェイ世界の映像化に成功した作品にも出ている。

『キリマンジャロの雪』

映画『キリマンジャロの雪』はアフリカが舞台だが、主人公の回想にはパリや戦場が頻出する。そのパリのエミールの店は『ミッドナイト・イン・パリ』に出てくる店々と違い、退廃的、ときに出口なしという暗鬱な雰囲気に満ちている。作家ハリー・ストリート（グレゴリー・ペック、一九一六―二〇〇三）はそこでシンシア・グリーン（エヴァ・ガードナー、一九二二―一九九〇）と恋に落ちるが、書くことにとって移動が必須のストリートは、グリーンのひとところに落ち着きたいという切望を容れない。ストリートは伯爵夫人リズ（ヒルデガード・ネフ、一九二五―二〇〇二）とリヴィエラで一時恋に落ちるが、別れたグリーンが忘れられない。グリーンと別れ、今、再びアフリカでストリートは敗血症に苦しみ、ヘレン（スーザン・ヘイワード、一九一七―一九七五）の看病を受けている。この病床の回想が物語の主軸。プロットのみを取り出すと女性三人と作家の関係に目が向きがちだが、書くことについてのメタフィクションだ。ストリートは一見女性たちを回想しているかに見えるが、これまでの人生のさまざまな局面で、書くことに関してぶつかった壁をいかに乗り越えたかという話になっている。臨終の床のおじの遺言は、真に書くべきことを探究せよとのメッセージととれる。映画と原作はかなり異なるが、映画の中のおじの助言は原作の冒頭の一節と、読者のなかで重なるという仕組みになっている。

キリマンジャロは雪におおわれた山で、一九、七一〇フィートの高さの、アフリカで一番高い山だといわれている。その西側の頂上はマサイ語で「ヌガイエ・ヌガイ」つまり、「神の家」と呼ばれている。その西側の頂上の近くに、ひからびて凍りついた豹の屍がある。豹がそのような高いところで何を求めていたのか、だれも説明したものはいない。

（アーネスト・ヘミングウェイ、高村勝治訳『キリマンジャロの雪』、旺文社文庫、一九六六）

金にはなったが真に書くべきことを書いてこなかったとストリートは嘆く。と、ヘレンがストリートの本によってどれほど読者が勇気づけられたかと慰める。『キリマンジャロの雪』はアフリカのエキゾティシズムの鼓舞でも、女性遍歴の自画自賛でもなく、V・S・ナイポールやカズオ・イシグロやウディ・アレンが、おそらく一日たりとも考えなかった日のない、書くことについて考察する作品、いかに書き続けるかについて考える作品であった。

所有できない都市の所在なき「私」

著者はいくつかの偶然からこれまでロンドンに比較的よいイメージを抱いてきたが、遠慮会釈ないロンドンを記述している作家もいる。二度と行きたくないという日本人もいる。

カズオ・イシグロが学んだイースト・アングリア大学で教員もしていたアンジェラ・カーターで、かの女の描くロンドンも東京も文学的散策にはとても向かない。

私は高い屋根裏部屋で暮らしていた。その夏、まるで気球の吊り龍のように宙ぶらりんの状態で、屋根裏部屋に暮らしていた。ロンドンは脚を広く広げて、私の下に横たわっていた。この街は、愛するために大きな犠牲を払ってはいたが、私たちを抱きしめる包容力が十分にある娼婦のようだった。

ロンドンは、老いた雌牛のようにひどく年老いているので、引退すべきだ。とあなたは言った。彼女は昨日の、一昨日の、そして一昨昨日の層をなして残っている化粧の上にこてこてに熱く塗りたくっているので、ペンキや落書きやポスターの層の下にあるこぶや染みがほとんどわからない。淫らで、重苦しく、腐敗して、利己的なロンドンはラム酒につけた菓子のババのように、自分自身の衰退のシロップに漬かって柔らかくなり、不動産の塔しかたちは、卑しい淋菌のような勤勉さで、たゆみなくロンドンの内臓の中へアナを掘って進んでいく。

（アンジェラ・カーター、「フリーランサーに捧げる挽歌」『花火』、榎本義子訳、アイシーメディックス、一八〇頁）

ロンドンの建物は壊しては建て、一部を壊しては建て、あとの一部もまた壊しては建てということを繰り返しているので、カーターの言いたいこともよくわかる。ディケンズなどは『リトル・ドリット』という作品中の悪漢リゴーを建物の倒壊というデウス・エクス・マキナ的な方法によって葬り去った。そしてリトル・ドリット自身にとってもロンドンはしばしば恐ろしい世界であった。リトル・ドリットにはそのロンドンで生きるしか選択の余地はない。

『リトル・ドリット』にはもうひとつ、サーカマロキューション・オフィスという役所がテーマ化されていて、役所仕事の遅々たる様子が描かれているが、こうした描写は今日に至るまで継承されている。たとえば映画『わたしは、ダニエル・ブレイク』（二〇一六）のテーマがそれだ。ニューカースルの大工ダニエル・ブレイクは五十九歳で心臓の持病が悪化し、働けなくなる。そこで支援金の申請を役所にしようとするが、パソコン操作に不慣れで失敗が続く。いよいよ家具を売り払い、ひとり自室に沈んでいると、以前、手助けをした少女が見舞いに来る。人の助けを拒んでいたダニエルだが、かつて助けてもらったのだから今度は自分にも助けさせてほしいという少女のことばに、玄関の扉を開ける。少女はわかりやすいことばで、助けるという行為は相互的なものであるべきだということをダニエルに説明する。ただし監督ケン・ローチ（一九三六生）はいろいろなヒントを作品のなかに盛り込んで、ダニエルにひとつ弱点があることをそれとなく観客に伝える。それは頑固さとプライドの高さだ。まわりの人の多くが援助の手をさしのべようとするが、それを素直に受け入れられない。また自分で収入を得る手段のひとつとして本棚をつくったり、モビールをつくったりするということも可能であるかのような暗示があるが、ダニエル自身はそれに気づかないというつくりになっている。モビールとは金属や木片をひもや針金でつるした飾り、室内装飾で、ダニエルの亡くなった妻が好きだったものだった。ダニエルは木製の魚を吊るし、それが家具を買い取りにきた男の目に留まる。なんなら買いたいという。これもダニエルにはひとつのチャンスだった。モビールはオブジェ・モビール、つまり動くオブジェだ。オブジェが動く、動かないという現象は、文化の流動という本書の関心に深くからむ。人のこころは時にオブジェのように固い。しかし、それが糸に吊るされて動きをつけられれば、流動への入口となる。

次の描写はカーターの東京だ。

いつも心が満たされていなかった。たとえ完璧なヒロインのように、芳香のただよう迷路のような路地を、はぐれた恋人を探して、淋しく泣きながら彷徨ったとしても。それに私はアジアにいるのではなかったか？　アジアだ。だが、そこに住んでいても、アジアのこの街は、いつも私から遠く離れているように思われた。まるで私と外の世界の間にガラスがあるように感じられた。それでも、ガラスの向こう側に私の姿がはっきりよく見えた。そこで、私は歩き回り、食事をし、会話を交わし、恋をし、冷淡な態度を取るなどしていた。でもいつも私は自分の操り人形の糸を引いていたのだった。ガラスの向こう側で動き回っているのは、この操り人形だったのだ。

（アンジェラ・カーター、「肉体と鏡」『花火』、榎本義子訳、アイシーメディックス、一〇九頁）

ここには例えば日本の江戸好きたちの嗜好、東京歩きが好みといった感覚は見られない。ウディ・アレン作品『世界中がアイ・ラヴ・ユー』（一九九六）でニューヨークを歩いていてショー・ウィンドウのなかをのぞくドリリュー・バリモア（一九七五生）扮するスカイラーの都会の楽しみ方なども無縁の世界だ。同じ都市を歩いても人の反応は違う。人は自分のなかの蓄積を抱え込んだまま都市を歩き、都市を読む。

第五章脚注

1 グループについては、『回想のブルームズベリー』(一九九七、みすず書房)に詳しい。ただここに名前の挙がっているすべての人々が自己実現を果たしたかというと、判断は分かれる。

2 ちなみにこの人物は映画『ターナー』(二〇一四)に登場し、当時のソーンの立ち位置はこうであったろうというひとつの見方が示されている。

3 ジュディ・デンチはいくつもの作品に出演し、どれが本当の顔かわからぬほど多様性を具現した女優だ。既に触れたタブローに関連し、記憶に残るのは映画『ヘンダーソン夫人の贈り物』(二〇〇五)だ。ミス・ヘンダーソンは死を覚悟で出征する兵士にひとめ女性の肉体を見せたいと劇場の舞台に女性たちを立たせる。しかし動きが付くと煽情的だという当局の指示で女性たちの動きを止める。タブローにする。だが実のところ、静と動のどちらが兵士たちの記憶に残ることになるのか。

4 モームは第一次大戦中、イギリスの諜報員を勤めていたこともあり、世界の各地を歩いている。日本では神戸にも来た。三宮のインフォメーションセンターにある文学散歩に関する資料にはそのことが記されている。ほかにアジアではタイやシンガポールにも出向いた。

5 イギリス、ケント州にライという小さな駅がある。ロンドンのチャリング・クロス駅からアッシュフォード駅で乗り換えてライ駅まで行く。小さな丘のような街で、石畳の道が特徴だ。アメリカから最終的にはイギリスに帰化したヘンリー・ジェイムズだが、ヨーロッパの社交のシーズンをのぞいてはここで暮らした。

第六章

カズオ・イシグロの四つの活動

『わたしを離さないで』の交換、
『忘れられた巨人』の忘却と記憶の共有、
『クララとお日さま』の継承と共有

イシグロの描く不思議な日本文化と所有感覚

カズオ・イシグロ（一九五四生）の描く日本とその文化には不思議な魅力がある。幼少期までに自分が見聞きした日本の文化、長崎の文化を携えてイギリスに渡る。ロンドンの通勤圏ギルフォードに住み始める。地元の学校に通い、英語で教育を受け、イギリス文化に接する。大学、大学院と進み、あるときふと、自分の中にある日本像をいま書き留めておかないと永遠に喪失するという意識にとらわれ、小説を書き始める。できたのは初期のふたつの作品。なかでも『浮世の画家』の世界は、英語で読んでも、日本語で読んでも、現実の日本とも、読者の記憶にある日本とも、どこか異なる日本で、作品のなかの日本と読者の日本との距離感が読者に驚きを提供する。過去に遡ってもそこにあるという日本ではなく、まさしくイシグロの頭の中にある日本、手の届かぬ日本、手の届かぬところにある文化の結晶というところが、この作品の魅力だ。

イシグロ各作品の登場人物について「所有の感覚」を探ってみる。『浮世の画家』は自らの考えを維持できないことを自覚した男の物語だ。本心を手放すかどうか逡巡し、苦悩し、妥協する。小野は絵画を通して戦争に協力した経験があり、その正当性を自己弁護するという内心を戦後も維持しようとしてきたが、次女の縁談を機にそれができぬ状態になっていた。自己弁護しつつも環境がそれを許さない。高齢になって若き日々の行為の意味を問い直し、それを再度、自分史のなかにおさめるのは傍目で見るほど容易ではない。小野の変節へのためらいがテーマで、思想信条、信念、内心は簡単に取り替えることができない。取り替えるには培われた時間以上の時間を要することもある。所有、所有と同様に放棄の難しさもまた永続的なテーマとなりうる。

『日の名残り』のスティーヴンスは邸宅を所有しているわけではないが、自分の管理のもとにあることは日々十分に実感しており、所有にも似た感覚を経験している。一方でスティーヴンスはすでに長い時間、ミス・ケントンと住み込みの職場で時間を共有しており恋愛感情にはずみがつかない。ミス・ケントンからベンに結婚を申し込まれたと打ち明けられても、反応が遅れる。そして二十年も経ってしまう。

『わたしたちが孤児だったころ』のジェニファーの所有感覚も興味深い。両親というもっとも大切な存在をすでに失っているので、自分の船荷が届かないというバンクスのことばに動じない。三十歳をすぎたころ、田舎町に暮らすジェニファーの小さな望みは、これから結婚することになったとしても、バンクスには子どもたちのおじとして近くのコテージに住んでもらいたいというものであった。喧噪のロンドンを捨てて。

『わたしを離さないで』の交換

人は所有、継承、交換、共有という活動をしながら日々を生きていく。それらの行為はあまりに自然で、自分のかかわる個別の例を除いて意識することは稀だ。ところがカズオ・イシグロの『わたしを離さないで』（二〇〇五）は、それらの活動が広い世界全体で役割と意味を担い、また存在することの可能性を描いている。

主人公たちが子供時代を過ごすヘールシャムという寄宿学校に興味深い年中行事がある。学校内での生徒たちの交換会だ。

人は裸で生まれ、両親の肉体を継承している。肉体というモノを継承している。次に親はその子に心を注ぎ込む。人は肉体と心を持ち、やがて教育により知識を得、働き、いくばくかの金を所有し、社会のなかで生きて行く。

交換が発生するのは、所有と継承の後のことだ。ヘールシャムの寄宿生のキャシー、ルース、トミーが交換会に参加するのも、クローンとして生まれ、肉体を所有し、箱ひとつの私物を束の間所有したうえでのことだ。閉じられた空間でのモノの交換には限界がある。ところが愛情の交換は、寄宿学校でも、卒業後の住処と研修の場となるコテージでも、外の人間の世界と同様、無限であった。結局、キャシー、トミーはもちろんのこと、ルースを含め、三人は互いの愛情、ときに愛憎を短い生涯の終わりまで共有する。

『わたしを離さないで』のなかに作品の語り手キャシーが交換会という行事につい説明をする箇所がある。交換会は一年に四回、三ヶ月に一度行われる。会場に各生徒が品々を持ち寄り、手持ちの交換券で、品々を買う。交換券はかれらのいるヘールシャムという寄宿学校でしか通用しないから仮想通貨の役割を果たす。

語り手キャシーがこの交換会について、ルースの介護をしながらかの女と過去に話題にしていたことを、今の時点になって回想して語っているという時系列のからくりになっている。時間は三つ流れている。第一にかの女たちふたりがヘールシャムにいて実際の交換会に参加していたときの時間。第二にキャシーが第一度目の臓器提供をしたルースの介護をしていたある過去の時間。第三にキャシーがそれを語っている時という第三の時間としての現在。これは読者がキャシーの語りを読んでいる時間と一致する。

重要なのは、かれらが交換会でそれぞれ欲しいと思ったものが異なるという点だ。ルースはある生徒がつくったキリンのおもちゃ、キャシーは別の生徒がつくった詩。すでに少女の段階でふたりの好みは違っていた。それはかの女たちの共通の仲間トミーに対する姿勢の違いにも出ていた。キャシーは幼いころから意識するかしないかは別にトミーとの交流に精神性を求めた。

他方、ルースはトミーという人物がキャシーの手に渡るのを怖れ、あるいはキャシーとトミーの精神的交流に嫉妬してか、トミーの肉体そのものを、あたかもキリンのおもちゃという具体的なモノに幼いころ惹かれたように、自分のものにする。キャシーはヘールシャムを卒業後、三人の住居となったコテージでルースとトミーの行為を目にしても、強烈な嫉妬にかられるわけでもない。キャシーにはトミーの肉体を欲するルースも、目の前のルースを避けて通らぬトミーの性欲をも受け容れるところがあった。それがルースの嫉妬心をさらにかきたてたとしても。ルースはトミーを抱きながらもトミーがキャシーに心を奪われているということを、理解できた。トミーとルースはお互いにお互いの身体を提供しあったが、提供したのはそこまでであった。

逆にそうであればこそ、のちにキャシーもトミーも互いに真の愛で結ばれていると確信し、延命の一手段になるという風聞を信じ、退職しイギリスでも暖かいケント州の海辺で晩年を過ごしているかつてのヘールシャムの校長に談判にでかける。ふたりが幼いころに描いた作品を見比べてもらえば、真の愛の絆が見えるはずだと信じ込んで。風聞は風聞に過ぎなかった。少しでも長く時間を共有したいという望みは消えた。再びかれらは現実に引き戻され、自分たちが臓器の提供者であることを再確認させられ、自分たちの臓器が患者の臓器の代わりをするということを思いしらされる。

個人の交換会は普遍的な交換の活動に広がり、真の愛情の交換とはなにか、交換される臓器の提供者にとっての短い人生とはなにか、というイシグロ作品共通の大きな問題へとつながって行くことが、読み進むにつれてわかっていくる。かれらの身体の一部である臓器は、被提供者の体内で、両者の生の継承に供される。

文学作品にあっては、さらに芸術作品にあっては、他の分野にあるような、数字や貨幣で割り切れるような所有、継承、交換、共有はない。それでも作中人物が精神的に割り切れるような、納得のゆくような、さらには読者が納得できるような所有、継承、交換、共有がある。イシグロ作品の場合はどうか。

『忘れられた巨人』の船頭の問い――忘却と記憶の共有

『忘れられた巨人』（二〇一五）の村では記憶が交換、継承されない。さらに自己のなかでさえ記憶が継承されていない。作品冒頭、アクセルとベアトリスはお互いの記憶を確認し合い、補い合うということができないでいる。少しばかり思い出しそうになることはあっても、時間の進行とともに忘れてしまう。忘れるということは何も残らないということだ。互いに記憶に残らなければ、互いになぜ今、こうして二人でいるのかということさえ忘れていくことだろう。忘却がひとつの集団でおこれば、その集団は機能しなくなる。

著者の担当の授業で、『わたしを離さないで』と『忘れられた巨人』の一部を学生と精読したとき、『忘れられた巨人』のほうが面白いという感想が出た。いろいろと話をしているうちに、『わたしを離さないで』のほうが、学生の年齢に近く、テーマはクローンなので、読んでいてつらいということらしい。あまりに現実に密着したテーマということのようだ。それに対し、『忘れられた巨人』はおじいさんとおばあさんの旅の物語で自分たちの現実とはかけ離れているので、英語を読むという作業に集中できたらしい。ことばとしての英語を読むことと内容を理解することにさして乖離はあるまいと日頃から考えていたので、こうした指摘は新鮮だった。『わたしを離さないで』は、それほど若者にとって内容が理解しやすく、しかも深刻であった。

しかし『忘れられた巨人』も、旅の行く先々で老夫婦がいろいろな人々に出会うという呑気な話ではない。それが最初に読者にわかるのは、主人公アクセルとベアトリスが廃墟で雨宿りをする場面だ。ひとりの老婆がいて、ウサギをしっかりと手でつかんでいる。もうひとり舟頭と名乗る男がいて、かれは島に行く舟をあやつる。その島はアクセルとベアトリスの目指す土地で息子がいるという。舟の出る土地への道のりはまだ長い。ふたりは舟頭に、そこについてからのことをたずねる。すると舟頭は、舟には自分ともうひとりしか乗れない、三人一度には乗れないと言う。そして、舟でひとりひとり島に運ぶ前に、島に行く資格があるかを試すという。男女ふたりに対してそれぞれ別々にふたりの最良の記憶について問い、それが一致したときにのみ、ふたりとも順に島に運ぶのだという。ふたりの記憶が一致しないとき、つまり二人がよき記憶を共有していない場合、仕事はしないという。この作品に至り、イシグロは記憶の共有というテーマにたどり着いた。

これまでも記憶はイシグロの重要なテーマであったが、『日の名残り』でスティーヴンスの記憶とミス・ケントンの記憶の一致を強調していたようには見えない。スティーヴンスの思い込みの集積にも似た記憶、その記憶のみで十分にテーマたりえた。『遠い山なみの光』も記憶を維持する主体として作品の中心にいるのは佐知子ひとりだ。『浮世の画家』の記憶も画家小野の記憶ひとつが重要なのであって、それに調子を合わせるのは、あるいは本当に共感を持つのは、歓楽街の昔の賑わいを共有しうるカウンターの向こうの女主人だけだ。

『わたしたちが孤児だったころ』となると、バンクスとサラとジェニファーはいずれも両親の死を経験しているから孤児という境遇を共有しているにはいる。しかし三人の記憶はどの組み合わせも非対称的で、バランスはくずれている。バンクスとサラは、おおかたの読者の予想通り、結ばれない。ジェニファーは養父バンクスの記憶を終生とどめるべく、もしも自分が結婚したら、自分たちの近くに住んでほしいと望むが、これも非対称的な組み合わせで、ジェニファーは養父を実の父のように愛したいということだ。『わたしを離さないで』のキャシー、ルース、トミーのそれぞれの記憶も、ばらばらだ。ドーヴァーの回復施設でキャシーがルースの介護をしていたとき、二人はかつていたヘールシャムという寄宿学校時代の記憶を共有し、そこでの生活について語り合うものの、ほどなくルースは〝提供〟をすべて終え、亡くなり、ルース自身の記憶はその死とともに消え去る。介護人として三十歳を越えたキャシーのみがひとり記憶を抱え、ノーフォークの海岸に立つ。作品全体はこの時のキャシーの独白に凝縮されるためにあるかのようで、緊張感のある場面だ。ところが『忘れられた巨人』では、ふたりの人物の対称的な記憶が問題となる。ふたりをためす舟頭は宗教的な言い方をすれば神しか担うことのできない役割を託されているということか。その職業上、読者が連想しがちな判事でも神父でもなく、船頭が人の運命を決する。

『忘れられた巨人』という老夫婦の物語に触れたところで、ある老夫婦の映画『さざなみ』（二〇一五）に触れておく。主演はシャーロット・ランプリングとトム・コートニーだ。夫婦ともに退職し、今は穏やかな時が流れている。外国人という立場で観ると、生活の細部の描写がひとつひとつ珍しい。犬の散歩、キッチンの様子、村への散歩、町への買い物など、あたりまえのこと、おそらくイギリス人にはあたりまえすぎて気にもならないようなところが興味深い。二人は結婚四十五年の記念パーティを一週間後に控え、落ち着かない日々を過ごしている。と、夫のかつての恋人で、スイスの山で遭難した女性が凍ったまま当時の姿で発見されたという知らせが入る。妻は動揺する。夫は身元の確認に行きたいと思う。しかし日々は淡々と過ぎていく。

日常の描写ということでは、イギリスには名作が多い。外から見るとさぞ退屈と見えることが本人にとってはもっとも重要であったりする。

フィリップ・ラーキン（一九二二―一九八五）という詩人も、そういうところに目をつけていた人だ。いや意識すらしていなかったかもしれない。ロンドンのテレビで放映されていたドキュメンタリードラマが著者の記憶に残っている。フィリップ・ラーキンが女優パトリシア・ラウトリッジ（一九二五生）扮するバーバラ・ピム（一九一三―一九八〇）の作品をブッカー賞に推したものの、作品は受賞を逃し、ラーキンの尽力に対しピムが礼の手紙を書く。それがタクシーで移動するラーキンの姿の大写しとともにラウトリッジによって朗読されるという凝ったからくりの作品だ。

ではラーキンの詩ということになると、学生のころに読んだ「トード」が欠かせない。当時はよくわからなかったが、学生生活になんとか終止符を打ち働き始めるとラーキンの嘆きが痛いほどわかる。詩では食べられない。ラーキンはイギリス、ハル大学の図書館のライブラリアンを生涯勤めた。

イシグロに戻ろう。『わたしを離さないで』のトミーやルーシー、そしてキャシーは臓器を提供するために育てられた。今の現実の社会でも実際に臓器提供は行われている。人は体に人の臓器やモノを入れ延命する。そういうことを言えば、昔から入れ歯はあったし、骨折の場合は金属骨に換えることもしてきた。

ハリソン・フォード（一九四二生）が人間を、ショーン・ヤング（一九五九生）が四年の寿命を持つレプリカントを演じた『ブレードランナー』（一九八二）の時代はそれでも、こうした人造の身体はSFのなかだけのことと見えた。『エクス・マキナ』（二〇一五）となると、人の存在が人工知能と人工身体にとって代わられるかもしれないという状況がいっそう現実味を帯びる。社長ネイサンの会社の従業員ケイレブはエヴァに搭載された人工知能のチューリングテスト（数学者、黎明期の情報科学哲学者アラン・チューリングの考案したテストで、機械が人間と区別不可能な場合に合格となる）を行うよう指示を受ける。しかし、ネイサンはもうひとりの人工知能キョウコの行動もエヴァの行動も読み切れない。さらに若いケイレブはエヴァに好意を持ち、一緒にネイサンの別荘を脱出するとまで約束してしまう。

スカーレット・ヨハンソン主演の『アイランド』（二〇〇五）となると、クローンどうしが相手を意識しはじめ、巨大なクローン専用施設を脱し、自分たちだけの世界を作ろうとする。キャシー、ルース、トミーたち自らの運命受容型のクローンとは異なる。

『忘れられた巨人』の最後で読者に提示されたのは、アクセルとベアトリスが、船頭によって同じ目的地に着けるのか否かという問いであった。具体的には二人がそれぞれに、今の今まで持っていた最良の記憶が一致していたか否か、共有できていたかという問いだ。作者はその答えを明示しなかった。

『クララとお日さま』に引き継がれる問い——AIは小説を書けるか

『クララとお日さま』にはその問いの答えがある。ただ読者にはこれまでのイシグロ作品を読んだときと同様、一頁一頁認識をあらたにし、最後の最後まで意外感を楽しむ自由がある。それを奪わない程度に少しばかり内容に触れ、糸口を語るのは許されよう。問いの意味は『クララとお日さま』の最後の第六部で明らかになる。病弱のジョジーを「続ける」、つまり継承するという姿勢を堅持するガパルディと、時間を共有しようとするクララとリックの姿勢との違いが前景化する。

この作品がＡＩを搭載したクララが語り手であり、一人称で語られることの意味は大きい。ふつうに考えれば、作品のなかのクララには記憶能力、回想能力、そして自分の半生を語る能力がある。

もちろんクララの背後には書く行為とともに立ち現れる作者という主体がいると想定しうるし、その背後には作家イシグロがいる。そのイシグロは、『わたしを離さないで』のキャシー・Hと同様に一人称の語り手を選択した。作者は一人称の人工親友のことばを借り、作品を展開する。

このことには深い意味がある。日本の読者にわかりやすい例を引くと、『坊ちゃん』を書いたのはだれかという話につながる。もちろん四択問題で森鷗外と答える人はいない。夏目漱石という答えを選べばよいのだが、ここでも一人称にかかわる難問が出てくる。坊ちゃんは東京物理学校を出た理科系の人間で数学の教師だ。文学的なことは苦手らしく、新体詩を嫌ったりもする。しかも最後は教師を辞め、技術者として社会のなかに居場所を見つける。その技術者が学校を退職したあの段階で小説を書くのかという疑問がよぎる。もちろん技術者が小説を書くということはあるだろう。現実に小説家という人もいよう。実際のところは、漱石という人がいて、自分はたまたま英語教師

『クララお日さま』
カズオ・イシグロ著、土屋政雄訳、
早川書房、2021

Kazuo Ishiguro, *Klara and the Sun*,
Faber & Faber, 2021

として松山に赴任したが、英語教師のまま坊ちゃんを創造するのではなく、科目を変えて、いわば冷めた視点で一人称小説を仕上げたと小説読みは納得する。あるいはそこのところをとやかく言っても、興をそぐと考える人もいる。

では、『クララとお日さま』は誰が書いたのか。クララが一人称で小説を書いてしまったということになる。クララという人工知能を搭載した機械が小説を書けてしまったということになる。作者が、さらにイシグロが背後にいて小説を書いていることを読者は十二分に承知しつつも、人工知能が小説を書いているという前提で読んでかまわないということになる。そうすることで読者は作品中の心をめぐる議論に入っていける。入ることを求められる。このようにして、読者は心のみならず、宗教、政治、貧困、病といった人がどこにいても直面するテーマにかかわる議論にいつのまにかかかわることになる。作者、いやクララは描写に徹している。自説を開陳し、場合によっては人におしつけるのは、不安定な大人の作中人物たちのほうだ。そうした大人たちに囲まれながら、ジョジーやリックはバランスをくずしかけながらも成長する。

小説の書き手であるクララの終盤のさまざまな認識と経験に充たされた境地は、『わたしを離さないで』のキャシー・Hの境地に、さらにはシャーロット・ブロンテの『ジェイン・エア』のジェインの境地にまで通じるものがある。それは『日の名残り』のスティーヴンスや『わたしたちが孤児だったころ』のバンクスといった男性作中人物が達しえなかった境地だ。

第七章
本と往復書簡、内面の共有

本を探す、読む、書く

　ＪＲ東日本御茶ノ水駅のお茶の水橋口（新宿寄り出口）から坂道を下り、明治大学を右手に広い交差点に出たら、もう目の前にいくつもの書店が目に入ってくる。世界一の古書店街、神田古書店街だ。「本と街の案内所」を出発点としてもよい。日本語版の「古書店ＭＡＰ」と英語版の「BOOK TOWN MAP」が用意されていて、街全体の様子が把握できる。目当てのジャンルがあれば、『神保町公式ガイド』で書店の扱っている商品のキーワードを確認する。「春の古本まつり」、「神田ブックフェスティバル」、「神田古本まつり」などのイヴェントの日程をおさえて出向くというかたちもある。初めて出かけ、道に迷いながらもいくつかの複数の書店を訪ねるというかたちもある。

　神田古書店街は本をどこで探すかという問いの答えだ。もちろんインターネットで探すかたちもあろう。国会図書館のサイトに入り、書名や著者名で検索する人もいよう。ネット書店、通信販売で買うというかたちもある。ただ、手に取ってからということになると、古書店街に勝るものは少ない。その道の専門家の書架にはかなわないかもしれないが、そうした書架を自由に訪問できるというものでもない。気軽に手に取れるところが大事だ。

　どこで読むかについては、読者の好みにもよろうが、読む場所によって印象が違う。著者は東京にいるときあまり東京に関するものを読むことができない。ある土地にいるとき、その土地についてのものが読みにくいと感じる。その土地を離れ、しばらく時間が経過してからのほうが、読書が進む。京都にいるとき東京のことが気になり、東京にいるとき京都のことが気になるということが起こる。時間的にも空間的にも離れた場所について書かれたものが読みやすい。ということで日本にいるときロンドンについて書かれたものを読むのはおっくうでない。反対にロンドンでは、およ

神保町で手に入るパンフレット

神保町の様子　2021年７月　編集部撮影

そどのような日本語でも読んでみたいという渇望が起こる。

書く場所はどうであろう。読む場合と同様、対象となる場所から離れている場所で書いたほうが、目の前の土地の質感や量感に圧倒されることなく書き続けることができる。質感、量感を前にすると、もう書く必要がないではないかと思えてくる。神田の古書店街を歩いていると、これほどの本があるのに、自分で本を書いてみようと思うことなど、よほど楽天的と思えてくる。

映画を観ること、本を読むこと、本を書くことを並べると、受動から能動への推移と見える。映画は義務感で観るものではなく、眠くなれば寝てしまってもよい。本も退屈すれば、そこで読者は中断する。書くとなると、家を建てることにも似た作業を能動的に延々と続けることになる。

モノとしての本

新たな土地を訪れ書店を探す。図書館、美術館、博物館も加える。旧市街の広場も。順は問わぬ。本を手に取り考える。われわれはどこから来るのか、われわれとは何か、われわれはどこへ行くのかという作品を描いたポール・ゴーギャン風に、この本はどこから来たのか、この本は何か、この本はどこへ行くのかと。本は、だれかの手で書かれ、だれかの手で編集され、だれかの手でモノとして制作され、だれかの手で目の前の書店まで運ばれ、書店主や書店員の手で書棚に居場所を確保する。本のタイトルと著者、翻訳書であれば訳者をかつて確認したものだが、今は装丁家も確認する。雑誌の書評やブックガイドにも装丁家の名前が載るようになった。電子書籍の部数が増えるなかで、モノとしての本への愛着を再確認する読者も増え、本の装丁はますますアートに近づく。

一冊をレジに持っていく。本を買う。所有する。本はとりあえず自分の手に行き場を見つける。読む。ノートをとる。線を引く。引用をする。本との別れが来る。

数十年後に再会できる本もある。古書店の書棚でかつて読んだ本に再会する。本は変わらない。自分は変わっている。もう一度、同じ本を買う。かつての自分と今の自分の二人の自分が、同じ本と出会ったことになる。映画や芝居も、観直し、俳優を見て、既視感をおぼえる。

人も本も、モノも、文化も、どこかから来て、どこかへと去る。本との再会で変化した自分を確認し、かつて読んだころの世の中や時代に理解を深められるのは、わからないことを抱えたまま齢を重ねた者の楽しみだ。

書店という舞台

本についての本も数多ある。また書店についての本、本を扱う店についての本もたくさんある。一歩退いて本を違う位置から眺めるというかたちだ。

書店と作家の交流を描いた作品に『八十四番地チャリング・クロス・ロード』があり、映画にもなっている。ペネロピ・フィッツジェラルド（一九一六—二〇〇〇）には『マイ・ブックショップ』

（一九七八）という小説がある。

『八十四番地チャリング・クロス・ロード』はアメリカの作家とイギリスの書店主の往復書簡だ。アメリカの作家が読みたい本について問い合わせるとイギリスの書店主が選書する。書店はロンドンのパレス座付近にあった。第二次大戦中のことで食料の不足を察し、アメリカの作家はイギリスの書店主に物資を送る。この書店主を『日の名残り』でも主演したアンソニー・ホプキンスが演じる。両作品ともかれの演じる男性はまじめで実直という役どころなので、観る者は連続性を感じ取ることができる。

ペネロピ・フィッツジェラルドの『ザ・ブックショップ』（一九七八。二〇一七に映画化。『マイ・ブッ クショップ』）の主人公フローレンス・グリーンは一九五九年、夫に先立たれて一人イースト・アングリア地方のハートバラという土地で書店を開業しようと計画している。

これまでの人生の八年以上を亡き夫のわずかな遺産に頼ってハートバラで暮らしてきた彼女は、最近になって、自立した存在であることを自分自身に、そして、できればほかの人々に対しても、はっきり示す必要があるような気がしている。イースト・アングリア地方の冷たく澄んだ大気のなかでは、生きていくだけで精一杯だと思うことがよくある。きびしい冷気にさらされて命を落とすか、強くなるかのどちらかだと誰もが思っている。強くなって長生きするか、さもなければ、教会墓地の塩分を含んだ芝生の下に早々と埋葬されるかだ。
（ペネロピ・フィッツジェラルド、『ブックショップ』、山本やよい訳、一〇頁）

イースト・アングリア地方とは、カズオ・イシグロが『わたしを離さないで』という作品の舞台に設定した場所だ。原作でも映画でもここでの主人公キャサリンの独白の場面に作品を読んだ読者の緊張感が収斂する。独白のあとキャサリンが向かう場所はどこか、人が結局のところ向かう場所はどこなのか、これまでどのように生きてきたのかという哲学的問題を読者につきつける。

書店が本の舞台となる。神田古書店街にある書店が舞台の『森崎書店の日々』（二〇〇八）という本もある。映画にもなっている。美術系の大学を卒業し、会社に入り、挫折し、叔父の営む神田神保町の古書店の二階に越し、店を手伝うという女性が主人公だ。映画『森崎書店の日々』（二〇一〇）のＤＶＤジャケットを見ると小ぎれいな書店と見えるが、作品そのものでは、それなりに忙しいし、力もいるし、汚れもする。浜田山で本を売るという人がいれば軽自動車で買い取りにゆき、古本の入札や神田古書店まつりの映像も、そのままという印象だ。一般読者にとって、では新しい経験とは何かというと、それは書店員の立場に立てる点だ。見知らぬ客が入って来れば、緊張し、所作を観察する。安全とわかっても今度は本を買う人か買わない人かの二手に分かれる。客役の岩松了が演技過剰になるぎりぎりの手前で、主人公に本好きのなんたるかを説く。作品全体でひとつ大事な点は、主人公が本を開き始め、頁を追い出すところだ。本を買う、本の頁の一文字一文字をゆっくりと目で追い、味わうということこそ、読書だというところが中心で、その中心以外は文字通り周辺の話となる。

流行語にもなったという三島由紀夫の『永すぎた春』（一九五六）で日本国内の書店小説についての話題を締めくくろう。三島由紀夫はヒロインを古書店の娘という設定にした。雪重堂書店を祖父の命名とし、由来の漢詩を引いた後、店から界隈の描写へと移り、ついには祖父や父の学者観へと及ぶ。

> 焼け残った大学の前には、これも焼け残った古い書店が軒を並べていた。戦前のけしきをそのまま、戦争末期の空襲の最中も、悠然と店をあけ、戦後の混乱時代も、平然と古本を売っていた。雪重堂は、大学の法学部、経済学部、文学部などの研究室を、古いおとくいにしていて、代々の部長とも、主人は友だち附合をする仲であった。学者尊敬癖も雪重堂代々の病で、そろばんを度外視して、いつまででも勘定を待った。実際はそんなものでもないのだが、百子の祖父も父も、学者ほど心のきれいな、神様のような人種はない、と思い込んでいたのである。
>
> （三島由紀夫、『永すぎた春』、新潮文庫、七頁）

この学者観はともかくとして、書店の中に入り、書店員になった気持ちで外を眺めると、買い手ではなく、売り手の心境に理解がおよぶ。

V・S・ナイポールの弟、シヴァ・ナイポール（一九四五―一九八五）は兄と同様にトリニダードの高校で優秀な成績をおさめ、オックスフォードに行く。ただ、英文学を専攻した兄と異なり、シヴァは中国文学を選んだ。長編が三冊あって、兄の『ビスワス氏の家』と同様、自分たちの父親をモデルにした『蛍』（一九七〇）、『潮干狩り』（一九七三）、『熱い国』（一九八三）を遺し、四十歳になるかならぬかで他界した。その『熱い国』の主人公夫妻が書店を営んでいる。妻は現実と折り合いがつけられず、どこか別の世界のことを考えており、店の番をしながらD・H・ロレンスの作品を読んでいる。『潮干狩り』の兄と弟は、母親が違い、まったく別の人生を歩む。兄は島の土地の管理をし、弟は島を離れる。十三歳年上のV・S・ナイポールの書いた作品には、どこか落ち着きの悪い構成の作品も見られるが、後から世に出たシヴァの作品は構成がきっちりとしている。

図書館、美術館の映画と本

図書館が出てくる映画にも触れよう。フィクションではモーガン・フリーマン主演、ギネス・パルトローも出演する『セブン』（一九九五）に、そのストーリーの残酷さとは裏腹に美しいニューヨーク公共図書館が出てくる。

デイヴィド・ロッジ（一九三五生）の『大英博物館が崩壊する』（一九六五）という作品もあれば、『ザ・ウォーカー』（二〇一〇）では、デンゼル・ワシントン演じる主人公はやがてある場所に集められた人知の集合を目にする。

美術館も同様。『だれかに見られている』（一九八七）にはグッゲンハイム・ミュージアムの銃撃戦シーンがある。『恋人たちの予感』（一九八七）にはマンハッタンの近代美術館（ＭＯＭＡ）を舞台とする落ち着いたシーンがある。ウディ・アレンの作品の書店もこの系統に入れてよい。本ではなく人の集まる場所としてのホテルを舞台とする作品もある。映画『グランド・ブタペスト・ホテル』が込み入っており、刺激に富む。

植草甚一の『僕のニューヨーク散歩』（晶文社）は、ニューヨークのことが、どこかその辺にある日本の古書店のある街のように身近に書いてあるが、それは歩く作家のうまさのなせる技の結果であって、新しい土地にでかけすぐに植草のように頭から文字が出てくるというものでもない。歩くことの達人であり、アメリカの雑誌を読むことの達人であり、文章にぎくしゃくしたところのない人であればこそ、読者もニューヨークにいるような気になる。遠近どこの土地にでかけても、植草の描く土地の読者にとって、その文章の馴染みやすさは変わらない。植草の歩いたニューヨークは今ではない、今では別のかたちになっているが、それでも植草の書き物のなかのニューヨークは独立して魅力的だ。文字でできたニューヨークが面白い。

そうした上級の記述は植草に任せるとして、初級の話から入るとマンハッタンの「ニューヨーク近代美術館」が適当な大きさだ。かたちの面白さから言えば、「グッゲンハイム美術館」。エレベーターで一番上まで上がり、あとはらせん状のスロープを歩いて下りながら壁の作品を眺める。最後に一階の出口にたどり着く。四角い箱の部屋がいくつも並んでいて、順路はいつ終わるのかと思いながら見る美術館と違い、建物の全体像を把握した上での鑑賞なので、疲労しない。その箱の一大集合体のような美術館や博物館もある。「メトロポリタン美術館」はどこまでもどこまでも箱が続く。「自然史博物館」もそうだ。目の前の展示だけを見ていると、ロンドンの自然史博物館にいるのか、上野の自然史博物館にいるのか、名古屋の科学博物館にいるのか、一瞬わからなくなるような錯覚に陥る。こういうことは動物園でも、また剥製の展示でも起こる。大きな施設に疲れたら「フリック・コレクション」がある。どこかニューヨークのなかのパリといった風情だ。ニューヨーク公共図書館も博物館に似た感覚で見学できる。チャールズ・ディケンズの稀覯本が大事にケースにしまってあるところが、ディケンズのアメリカでの評価のされかたを物語る。書店に入り始めると、半日でもいられそうなところがすぐに見つかる。ハードカバーの本を何冊かかかえこみ、さらに別の本も探すぞという気迫のみなぎった客がひとり、ふたりではない。

本の所有と読むこと

高価なモノに食指が動くという生活をしていなくても、人それぞれ、少し高くても買おうというモノがある。家、車、旅行、食事、スポーツのアイテムなど対象となるモノはさまざまだ。英語の本を一週間や一か月で読み通すという場合、定価をそれだけの期間で割ると、一日当たりの金額は安い。古書を探すと稀覯本で高額な場合もあり、また凝った装丁に手を届かせようとすると、それこそ読むという行為からはみ出てしまい、収集家の世界に入ってしまう。本の収集で借金をするタイプより、初めて文庫版の活字のぎっしりとつまった本を手にしたときの感動が忘れられないというタイプの本好きでありたい。

お金をかけなくても本は読める。著作権が切れている名作はプロジェクト・グーテンベルク(https://www.gutenberg.org/)や日本の青空文庫(https://www.aozora.gr.jp/)で電子化された本、テキストが手に入るので、これをデバイスのモニタで読むかプリントアウトして読む。そういう作業をしておくと、パソコンの中に今度は何冊も本のファイルが溜まり、またプリントアウトした紙の封筒が部屋に溢れはじめたりする。書き手や出版社に敬意を表して、最初から紙の本を手に入れておけばよい、となると元に戻ってしまうが、本好きの本の所有と読むことの悩みは尽きない。

本の内容は本の顔、装丁に出ている。電子書籍の普及にともない、その反動もあってか装丁は多様性を増した。当初は紙の本が電子書籍に押されると装丁は不要になるかもしれないと囁かれたが、紙の本でも電子書籍でも表紙の価値はなくならない。もとより紙の本の時代から装丁家たちは工夫を凝らし続けてきた。テレビや動画以前の時代にはタブローとしての本の表紙が本好きを再生産していた。

小村雪岱（一八八七―一九四〇）という人がいた。埼玉県川越に生まれ、泉鏡花といった作家の表紙を描いた。小江戸と呼ばれるあの川越、絵地図がおもしろい川越、歩いて散策するに格好の場だ。

「版画を楽しむ　木版・銅版・リトグラフ・シルクスクリーン」のパンフレット。小村雪岱の作品も展示された。

2019.4.9-6.23
掛川・資生堂アートハウス

本の共有

本は所有され、継承され、交換され、共有される。新刊書を買えば所有。ただし〝積ん読〟になることもあるし、読み切れずに終わることもある。書店の前で逡巡を繰り返す、あるいはネット書店のサイトを開いては逡巡する。服のバーゲンでは今すぐ着られるものをというアドバイスがある。ならば本も、今すぐ読めるもの、ということになる。古書店の本は少なくとも自分以前に一人の読者をもつ。売れ残った本が流れてきていることもある。いずれにしても所有できる。本は図書館で借りれば共有というからくりのなかで読むことができる。貸本屋となると只ではない。が、本は共有されている。

重要なのはモノとしての本との関わりよりも本の中身の所有、継承、交換、共有にある。継承の段階

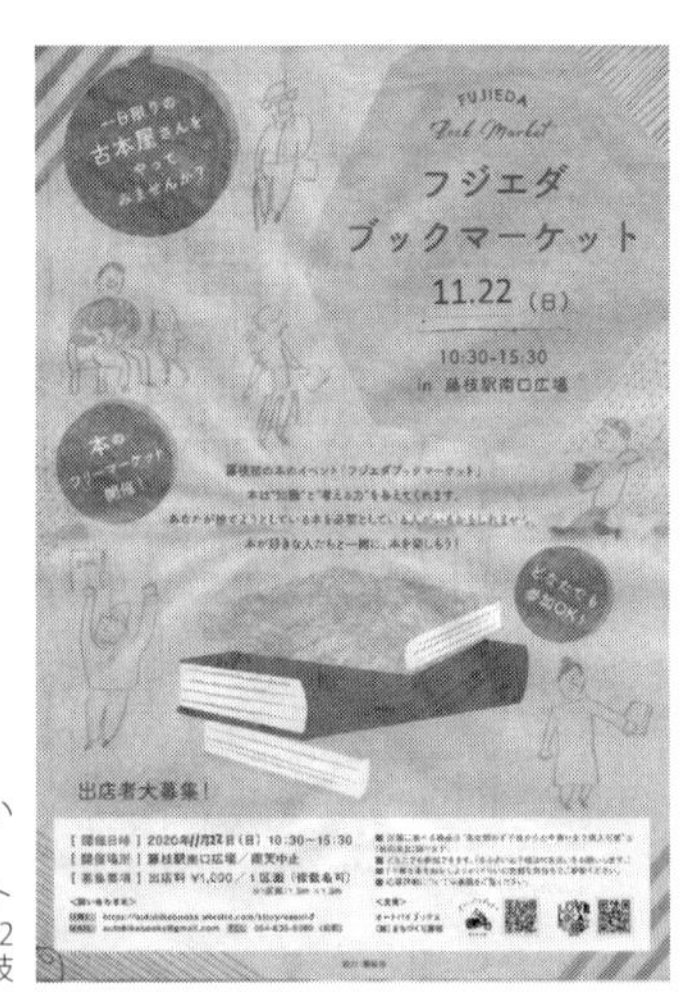

本を商うという仕事への誘い

「フジエダブックマーケット」のパンフレット
2020.11.22
オートバイブックス／㈱まちづくり藤枝

とは読書行為。ひたすら著者の言いたいことを理解する。もちろん心中に反論も起こる。だが、とりあえず読む。みずからの内部の反論の声があまりに高くなると、途中で本を放棄する。読書行為という継承によって内容の所有が可能になったと考えるのは早い。継承した内容を自分で表現してみて初めて所有という段階に至る。すると、自分の所有しえた内容と別の著者の所有する内容とを交換してみたくなる。さらに共有してみたくなる。一回きりの交換から回を重ねての共有という段階に進みたくなる。これが往復書簡の背後にある衝動だ。

書簡と日記 ―フィッツジェラルドとヘミングウェイ

作家の書簡は公開されれば一般読者の手に渡るものの、当初は差し出す相手のみを読者としている。特定の相手を対象としたことばを送るので、表現も固有なものになる。手紙の差出人と受取人との間の了解事項も多々あるので、後世の人が読んでもわからないところがある。学者が注で補うこともある。それでも著名人の書簡や日記には、その書き手が書簡や日記を書いている段階でいつかはだれかに読まれるかもしれないと意識している形跡を読み取れる。

日記はさらに個人的で、通例、書いた本人のみが読者となる。したがってその書きぶりも彫琢に彫琢を重ねるというよりも、自分があとでわかればよいというかたちになるので、飛躍や省略が多い。それだけに、読者がひとたびそのスタイルに慣れると、今度は読者が飛躍を楽しみ、省略を補えるようになる。『遠藤周作全日記』のなかにしばし見られる「いやいやながら小説、書きつづく」(上巻、一九六四年五月某日)という短い記述などを読むとそれがわかり、苦笑する。

手紙の醍醐味はスピード感にある。スピード感が共有される。「いま―ここ」という感覚と言い換えてもよい。手紙を書いた本人もおそらく書き直しをしない。校正もしない。だからスペリングのミスがあったり、作家であってもことばの意味を取り違えていたりすることがある。編集者の手も入っていない。手紙は書き手一人がたったひとりの読者に向かって書く。書き手の頭のなかにはつねに読み手の姿があり、読み手の頭の中にはつねに書き手の姿がある。つまり手紙は書き手だけの世界に始まり、読み手だけの世界に終わる。というのも、書き手は読み手を意識しつつも、ある意味で独白をしていることが多く、読み手は目のまえの手紙を読みつつもすでに自分の頭のなかで手紙を書くための文章を練り上げていたりするわけだから。読んでみてどうも気持ちが収まりきらず、今度は自分が書き手になる。この点、日記は少し違う。緊迫感、スピード感、思考の速さに文字が追い付かないという苛立ちは両者共通だろうが、日記の読者は今それを書いている今の自分であり、読み返すとすれば将来の自分でしかない。立派な日記がまとめられるのは、作家が他界してからということもままある。

『フィッツジェラルド/ヘミングウェイ往復書簡集』(宮内華代子編訳、二〇〇七、ダイナミックセラーズ出版)は一九二五年から一九四〇年までの二人の書簡をおさめ、読んでは閉じ、読んでは閉じてみたくなる、本からなかなか離れられないテキストだ。写真で惹かれ、重要部分の対訳で惹かれ、いよいよ本文となると日本語の横書きが意外に苦にならない。

金の話、テーマとしての戦争の話、テーマとしての殺人の話から始まるのは、一時、戸惑うが、金とテーマは作家の死活問題だ（ヘミングウェイ→フィッツジェラルド、一九二五年一二月一五日）。金は作家の現実を支え、テーマは虚構を支える。このどちらかに傾きすぎても作家は破綻する。もっとも、金が余るということはなく、金が不足するという意味での金なのだが。フィッツジェラルドは何度となくヘミングウェイに金銭的援助をする。フィッツジェラルドは書ける才能を持った人間が現実の問題のために書けなくなってしまうのではないかと終始心配した。ヘミングウェイのほうも、相手の金の心配はしなかったようだが、フィッツジェラルドに書け、書けと励ます。

また、ヘミングウェイは自分は自分の書きたいことを書くとわが道を行くのではなく、ヨーロッパにいながら、しきりにフィッツジェラルドにアメリカの文壇の様子を知らせてくれとせがむ。『日はまた昇る』はタイピストが完成原稿を書いたという一見些細なことも書簡でないとわからない（ヘミングウェイ→フィッツジェラルド、一九二六年四月二十日頃）。対してフィッツジェラルドはヘミングウェイの作品を精読する。どの作品の何頁と示し、引用までして、批評する。詩人のように厳密だ。その厳密さは時にヘミングウェイの自作に対する応答というかたちでさらに細部に入っていくこともある。ふたりは互いの作品をわが作品のように読み込む。うまく波長の合ったときの作家と編集者との関係を思わせる。

フィッツジェラルドの手紙にその才能のほとばしりを求めると、「事件、原因、結果などの適正で論理的な組み合わせはいつ終わり、想像力の領域はいつはじまるのだろうか?」（フィッツジェラルド→ヘミングウェイ、一九三四年六月一日）といったさりげない文章からさえも目が離せなくなる。

往復書簡と共有――ナイポールと姉、ナイポールの指導教官

モノの交換から見えないものの交換へ。中野重治と堀田善衛の往復書簡。ハンナ・アーレントとメアリー・マッカーシーの往復書簡を交換とすれば、マルティン・ハイデガーとハンナ・アーレントの往復書簡は継承となろう。ただ、その継承も、師から弟子への一方的継承ではなく、弟子から師への刺激もあり、しだいに交換の様相を呈する。

V・S・ナイポールに『父と息子の手紙』という往復書簡集がある（一九九九）。トリニダードを出て、ニューヨーク経由でオックスフォードにたどり着いたナイポールは、新しい環境のことなど最愛の父に書き送る。父は父で相変わらず息子にいろいろと助言をする。ところがナイポールの大学在学中に父が四十七歳で他界する。ナイポールの姉カマラはこれを弟にどう知らせたものかと逡巡する。結局、弟の指導教官に手紙を書き、父の死を知らせてもらえないか、弟はさぞ嘆きかなしむであろうからと伝える。すると指導教官はカマラに、自分に対してそのような家族の一大事を相

談してくれたことにまず感謝の意を手紙で伝える。この指導教官のナイポールに対する愛情は特筆に値する。同じ手紙のなかで、指導教官はもうナイポールが父の死を知っているのではないかともカマラに告げる。父と息子ナイポールは文学を共有した。指導教官とカマラおよびのこされた家族はナイポールへの配慮を共有した。これはできそうでできないことで、このような指導教官に出会えたことは、その後のナイポールの文学人生にとって幸運という他ない。

そのナイポールはイギリスからひさしぶりにトリニダードに戻り、家族に再会する。まだ幼かった弟シヴァは、亡くなった父親のベッドで何か読みながら煙草を吸う兄、亡き父のベッドを共有する、父と同じポーズの兄を見た。同じ父を持った弟シヴァは、父の姿を頭に焼き付けていた。そして今、兄の姿が焼き付く。二人は同じ父をモデルに兄は『ビスワス氏の家』を、弟は『蛍』を書いた。長男と次男では父との時間の共有のしかたが違った。長男は父を手放しで礼賛し、神話化すらした。自分がいまあるのは父の文学の手ほどきのおかげであると。それに現実的だった母とはうまく行かなかったと書く。他方、次男のほうは、自分は女たちの間で育った、だからその微妙な心の変化にいつも注意を注ぎ、心を配ったと書く。出来上がった作品も、『ビスワス氏の家』が父の小さな冒険物語、小さな家を持つまでの物語であるのに、『蛍』はアメリカ人女性人類学者の研究の便宜をはかろうと父が奔走するやや喜劇的な側面を書いてはばからない。兄が見なかった父をシヴァは見た。

後年、いくつもの名作を書き上げたナイポールがロンドンで弟の到着を待っていると、当時の妻パトリシアから、シヴァは今日は来られないと告げられる。ナイポールは急に機嫌が悪くなる。『鉄道大バザール』（一九七二）のポール・セロー（一九四一生）の手になるナイポールとの交友録『サー・ヴィディアの影』にはそうしたエピソードがいくつもあり、ナイポールファンを飽きさせることがない。

伝えたいと思うことの意味――小川国夫と立原正秋

小川国夫は静岡県、藤枝の人で、静岡の高校から東京大学に進学、その後、ヨーロッパをオートバイで駆け巡るという大旅行をし、三十歳を過ぎたころには藤枝に戻り、以後、そこで執筆活動をし、時に東京や名古屋などに出かけるという人だった。藤枝では蓮華池の近くの施設に再現された小川の書斎を見ることができる。

その小川と立原正秋の往復書簡集が『冬の二人』（一九七六）だ。昭和三十六年から四十三年くらいまでのやりとりで、手紙のあちらこちらに若さの片鱗というか若さそのものが溢れている。何かの会合から顔を会わせ、互いの本を読み合い、批評を述べるなどして交流が進んだ。その早い時期に小川は鎌倉に住む立原を誘い、藤沢の自宅に招く。立原のほうも小川を自宅に招き、またその後、手紙のやりとりがあるという風であった。二人の作家がいて、互いの家、つまり書く場所や家族の住む場所を見せ合う。ひとつに、書くものというのは、公開された活字の羅列だから、だれに向けられたというものでも基本的にはない。それを書き手の生活ぶりとはいったん切り離して解釈したり批評したりする。われわれは清少納言という書き手のひととなりをまったく知らずとも『枕草子』が目の前にあれば、その一段なり、二段なりと読み、わかったと考える。『源氏物語』に連想が働けば、宇治の源氏物語ミュージアムに出かけたいと思う。するとそこには主人公の御殿の模型が展示されていて、文字の羅列から一歩、先へと進む。嵐山の時雨亭に行けば、百人一首が急に身近になる。二尊院など、その界隈を歩けば、もう文字だけの世界には戻れない。

さらにもうひとつ、二人の作家が会うといっても、それは東京の文学関係の会合が主だ。まわりにいる人に気をつかわなければならない。たとえ二人だけで食事をするにしても店という背景がある。店員もいる。外での会合というものはそうした背景を無視できないところがある。対して家に招いての交際は、家族に負担はかかるものの、家族や招く側が見慣れた自然が背景となり、外で人と会うのとはまた別の自分や相手が現出する。往復書簡の延長線上の現実ということになる。

小川は自宅付近にある蓮華池に立原を案内する。ここは小川の気に入りの散策コースで、小川の創作を助けてきた場所だ。立原は、藤沢で世話になった礼を丁寧に述べ、小川の子供たちが小さいなか、小川の細君が「たいへんだったろう」と主夫妻の客のもてなしの気苦労を気遣ったりもする。小川の自然との対話の貴重な場も立原にしてみれば、霊感のよりどころとなりえなかったのかもしれない。少なくとも礼状を書く時点では。小川は書簡により、文学関係の会合の感想を立原と共有したかったのかもしれないし、蓮華寺という場さえも一時、共有したかった。

こういうことはよくあることかもしれない。作家が自分にとって霊感のよりどころとなる場所、あるいは霊感の到来や執筆で疲労した自分をいったん無我の境地に至らしめてくれるような場所があったとしても、その作家にとってという但し書きが必要で、別の作家にとっては、表面しか見えないということが。だから東京やロンドンやマンハッタンのどこそこという、いろいろな作家が思い入れを込めて描写した場所とても、その思い入れを共有しない読者には、自分の観点だけで見た表面でしかない。漱石の東京、ディケンズのロンドン、ウディ・アレンのマンハッタン、ナイポールのポート・オブ・スペインといっても、それは作家と作家の書き物をある程度消化し、気が付いてみると作家と似たような視点から場を眺めているというような読者にしか意味を持ちえない。

目に見える場所からしてそうなのだから、目に見えぬものへの感じ方の違いは、容易に埋まるものではない。また埋める必要もない。手紙の書き手は束の間、埋まると考え、相手に伝えようとすることそのものが重要であり、書き手の創作意欲をもさらに刺激する。しかし伝わらないと感じだすや、あるいは自らの変化から伝えたい、共有したいという内容が変質するや、別の相手に語りかけたくなる。作家の書簡の差出人の変化は、交流の深まりを示しもするが、実のところ作家の内部の変化を示す指標でもある。

手紙は具体の横溢だ。好きな作家のことを話題にしていても、錨は現実におろしたままというこ

ＪＲ静岡駅起点の文学館は三つ。そのひとつが小川国夫にゆかりのある藤枝市郷土博物館・文学館

「するが文学三館めぐり　しずぶんガイド」パンフレットより

「没後十年 小川国夫展—はじめに言葉／光ありき—」のパンフレット
2018.10.13-12.1
公益財団法人日本近代文学館

とがままある。ロレンス・ダレル（一九一二―一九九〇）についての小川と立原のやりとりも、そういう具合だ。小川が立原にダレルについて異なる意見を言ったところ本多秋五が喧嘩をしたものと誤解し、あとで小川をいさめる。それを小川が立原に手紙で伝えると、立原は、小川にこう書く。

ロレンス・ダレルの件について。ぼくはあのとき、つまり久保田氏を訪ねた一週間ほど後、本多氏にあったとき、小川とぼくではダレルに関してちがう見解をもっていることなどはなしました。ケンカをしたとも話しましたが、あのご老人、ほんどにケンカしたものととったらしいのです。（立原から小川へ、昭和三七年九月十四日。『冬の二人』八八頁）

立原はその後、さらに現実に立ち返り、「こんど貴兄におあいしたら、椎茸のさいばい方を教えて戴こうと思っています。なにもない木からどうしてあんなものがなるのか」（同）と結ぶ。蛇足的な深読みをすれば、作家立原のこと、「椎茸」と書きながら、それはメタファーであって、頭のなかに創作行為の不思議への想いがめぐっていたとしても不思議はない。

人の文学観を知る手立てとして立原がヘミングウェイの名を挙げると小川も反応する。

貴兄の書く通り、ヘミングウェイは幸か不幸か、試金石となるような作品を遺した作家です。

試金石自体は無であっても有であってもかまわないかも知れませんが、彼に対する意見を聞くことによって、その人の感覚を知ることができるような作家です。

（小川から立原へ、昭和三八年六月八日。『冬の二人』八八頁）

これは立原の「ヘミングウェイ」と題する文章に対する小川の反応だが、立原はその文章のなかで堀田善衛に言及したり、フォークナー（一八九七―一九六二）に言及したり、谷崎や川端に言及したりと、文学を受容する者について、日米を問わず、興味深いマッピングをしている。立原は、自分を含め、人の立ち位置というものを問題にしている。いずれにしても作品をしっかり読むことの重要性ということにたどり着く。

もうひとつ、往復書簡を交わしている間柄では、ひとりが旅に出て、相手にはがきや手紙を出すということが珍しくない。もとより作家の日常は朝九時に出社して夜帰宅するといったものではないから、世間の基準から見れば日常とは異なるが、旅となると、そこからさらに非日常の世界に入ることになる。その非日常世界から、相手に自らの境地を語りたくなる、多少の自己劇化をしてみたくなるのかもしれない。それにいったん乗り物に乗ってしまえば、あるいは旅館やホテルに着いてしまえば、すぐに創作意欲というものがわくでもなく、はがきの一枚も書いてみようという気になるのだろう。目の前の目新しさをだれかに言ってみたくなる。

おわりに

静岡市葵区鷹匠町の「ヒバリブックス」の主人、太田原由明氏と話をするようになったのは、何がきっかけだったか。本のこと、本の書かれかたのこと、本の読まれかたのこと、本の流通のことなどを、いつの間にか話していた。

ある日、綺麗なケースに新書サイズの『チボー家の人々』（白水社）が飾ってあった。その数日前、氏が俳句や短歌に最近は若い読者がついているようだと指摘されたので、その方面に軸足があるのかと思いこんでしまった。ところが フランスの長編が並んでいるのを目にして、ここは俳句や短歌から長編小説まで楽しめる空間かとさらに書棚を眺めているうちに、ぽつりぽつりと自分のその場での買い物の傾向も整理がついてきた。

氏いわく俳句や短歌人気の背景にはスマートフォンがあるのではないかという。たしかにスマートフォンで短文慣れした若い人が、俳句や短歌という型に自らの想いを流し込むということもあろう。そんな会話から文庫版『歌集 滑走路』（萩原慎一郎著、角川文庫）を見たり、文月悠光の『適切な世界の適切ならざる私』のような世界を覗いたり、小冊子『IS』掲載の田邊詩野の詩のような散文にも手を延ばした。『チボー家の人々』の展示が気になり、その動機をたずねると、若いころに耽読した、それを今の高校生あたりにも経験してもらいたいということだった。

ふたつのことに思い至った。俳句や短歌や自由詩の認識のしかた、世界の詩的なとらえ方と、小説的認識つまり世界の小説的なとらえ方は違うということが第一。第二番目は、書き手の表現行為がどちらに落ち着くかは内容次第であるということ。内容が先で、形式あるいはジャンルはあとだ。詩的認識は一瞬にして対象をとらえる。小説的認識は時間がかかる。

詩的認識にスマートフォンという道具によって慣れ親しんだ人は、時間のかかる小説的認識をじれったいと感じるかもしれない。『チボー家の人々』にしても十九世紀から二十世紀までの長編小説にしても重厚長大と見えるかもしれない。ところがである。コロナ禍のような長期的な災厄を前にした今、小説的認識や歴史的認識の役割に頼る場面が多くなった。

コロナ禍では、通勤電車の中でスマートフォンを抱え短文に接すれば気晴らしにはなろうが、この状況を克服しきれない。瞬時の対応は、店々の前に置かれた除菌スプレーを使う一瞬の動作にも似るが、その他は日々の白粛の生活で今までの習慣の意味と向き合い、ニュースを見ては各国の文化的差異や歴史的事情を酌むという、この状況におかれた己と世界を理解するのに時間のかかる、つまり精神的な覚悟が必要になってしまったのだ。そうした時間のスパンを捉えることのできるジャンルは文学で言えば、長編小説、現実の研究で言えばたとえば歴史学になる。

この「おわりに」執筆時点で、さらに本書の出版時点で、コロナ禍は、二年弱の長い事件として、すでに第五波を超えて、四度目の緊急事態宣言の発令のなか、われわれに重くのしかかっている。

もはや一瞬を貴ぶ詩的認識だけでは足りず、第一次世界大戦時のパンデミック（1918 flu）当時の歴史的文脈はどうであったかといった百年単位の遡及が欠かせない事態となった。時間の遡及、時間のものさしを長くとるということこそ、小説的認識の役どころだ。そこで、ディケンズや漱石の小説における時間の取り方を見直す。漱石の一冊一冊が短いというなら、漱石の全小説作品をひとつの作品と見て、明治・大正社会を見つめた作家の変化のありようを追ってみる。ウディ・アレンの一映画作品が特定の地域の一部しか、時代の一部しか切り取っていないと見えるなら、アレンの全映画に目を通し、アレンの認識の変化を追う。カズオ・イシグロの一作品一作品が小ぎれいにまとまっていると見えたら、全小説作品に目を通して見る。これが何巻にもおよぶ長編の出にくい現在、社会、世界を広く長くとらえるかたちにわれわれが近づく手立てだろう。

本書の編集子が原稿と格闘を始めた二〇二〇年後半、二〇二一年三月にイシグロがノーベル賞受賞後第一作を発表すると報じられた。イシグロ作品については本書でやっとのこと『忘れられた巨人』の中の共有というテーマ、記憶の共有というテーマに辿り着いたので、新作はそこからどこに行くのか、あるいはテーマの反芻箇所もあるのかと大いに気になったが、読了の結果、共有というテーマが新作にも継承されていることを知り、同時代の好みの作家を追いながら、作品を論じ、考えていると、問題意識まで作家に引っ張られていくのかと、若干の驚きを覚えさえした。作家が同時代の深刻な問題を扱えば、読者としての著者もついていけるのであろうし、作家があまりに時代の先を行きすぎていれば、同時代から理解される機会も少なくなるだろう。

ジャンルは中身が決めると述べた。この表現を、われわれがいま経験している現実という中身は小説というジャンルを必要としている、と言い換えることもできる。一度、長編の描き出す社会の広さと深さを知ったものは、現実の目の前の出来事の具体のひとつひとつに一喜一憂せず、より長い時間、より広い空間のなかで、たとえばコロナ禍を見ようとする。それで日々の過酷さがたちどころに回避できるわけでもないが、少なくとも自分がどこにいるのかということをおぼろげながらもつかむことができる。災禍に襲われていないときであれば、今わかれた友人と今度をいつまた会えるか、半年先か、一年先か、ということになるのだが、もう二度と会えないかもしれないという可能性も排除できぬ現実のなか、新たな仕事の段取り、交遊の段取りにも知恵が働く。

奇しくもこの二年ばかり、コロナ禍のもとでの「継承」と「共有」に対する考察が深刻味を帯び始めた。「継承」も「共有」もいつ途絶えるかわからない。そう考えると、取り上げた作品ひとつひとつの「継承」や「共有」も気まぐれとは別の、強力な必然が働いて成った結果と見えてくる。そしてさらに困難の度を増した現実世界の「継承」や「共有」に至る、思わぬ小さな入口を見出す目を養うことの重要性に気づく。

『クララとお日さま』出版直後、日本経済新聞（二〇二一年三月二日）のネット記事に作家カズオ・イシグロ自身が出て、新作について述べた動画が載った。人工知能、遺伝子組み替え、不平等に加え、作家はメリトクラシーの問題を取り上げていた。かつてはメリトクラシーの利点にも目が向いたが、それを基準にすると、今度は多数が排除されかねないという趣旨らしい。『クララとお日さま』の次の作品を期待してしまう。

その昔、あるフィロロジー（文献学）専攻のポリグロットの教官が、研究室で茶を飲みながら、微笑みつつ、ないものが見えてまう、という表現を使われた。三十歳前後の助手であった著者は、それが文学研究の落とし穴への警鐘一般でもあったと気づくまでに、なお時間を要したが、時々思い出す。そして今は、ないものが見えて、あれこれ足してしまうのもよくないが、時にはないものも見つづけることに意味があることも知った。本書のなかのイタリアの経験など、今はできないだろう。ロンドンもない。ただ、今のヨーロッパ諸国の現実に触れて、それ以外はないと言い切るのも、それはそれで何かを見落とすような気がする。

われわれはまだ渦中にいる。明治維新や敗戦といったひとつひとつの日本の激変とは違う変化、世界的な変化のなかにいる。この変化で生き延びるすべは思考し続けることでしかない。何を継承しないで脱ぎ捨て、何を残し共有すべきかを世界レベルで考え始めてから、まだほんの二年ほどしか経過していないのかもしれないという辛い点を自分につけることが、そうした思考の手始めかもしれない。明治維新もかつてのパンデミックも敗戦も活字でしか触れにくくなった今。忘却の霧が記憶を消し去ってしまいかねぬ今。大学で遠隔授業を経験し、ないものが見えてしまうことへの反省を深めると同時に、ないものも時にはあるかもしれない、学生の姿は頻繁に見えぬものの、学生の思考力は試練のなかで、毎回のレポートの向上というかたちで、対面だけの時代とは別の質を確実に獲得し始めているのではないかというある種の楽観主義も捨てきれない今。

世の中には答えのある問題と答えはおろか問題のかたちすらおぼろげなものすらある。一部の分野を除いての話だが、受験勉強をし、知識を暗記し、答えをひとつに絞り入学試験を通り、大学生となる。そこからマニュアル化された資格試験や採用試験の準備に入りながらも、他方、問題を発見せよ、考えよと言われる。本書は日常としての前者を重要視しつつも、また後者にも深くかかわる。模範解答以外もあるし、そもそも今は見えない問題も将来起こりうるという立場をとる。模範解答とても時代と地域で変化しうる。そのために目を鍛えておこうという本だ。

本書の執筆にあたっては、今回も三月社石井氏にお世話になった。『引用と借景』『創造と模倣』『抽象と具体』を経て『継承と共有』に至り、また出発できたのも、氏との議論によるところが大きい。また、本書を纏めるにあたっては職場の内外研究員制度（二〇二〇年一〇月〜二一年三月）を活用した。申請時、欧州とアジア諸国で資料収集を計画したが、国内に転じ、手持ちの資料を読み込んだ。この間、所属組織英語系列のマネジメントを一手に引き受けてくださった足立公也氏、他系列の同僚の方々、そして事務局担当者の方々に、ひとかたならぬお世話になった。記して感謝申し上げたい。

本書では参考文献も、読書案内も省略した。それらは本文中の記述で容易にたどれるし、三月社刊の『引用と借景』の参考文献、『創造と模倣』の年表、『抽象と具体』の作品年表や地名さくいんも古びるものではない。

さてイシグロの『クララとお日さま』を未読の読者には、最後に付した英文を読むか否か、ここで一瞬立ち止まってほしい。引用した英文には『クララとお日さま』のクララが、とある場所で、もう本のページもおわろうとするところで到達した境地が表現されている。『遠い山なみの光』の最終パラグラフといい、『わたしを離さないで』の最終パラグラフといい、どの作品でも終盤の緊張は高まるばかりで、一ページ一ページそこまで読んできた読者への最後の褒美のようだ。

鉄腕アトム、ドラえもん、ポケモン、最近では池辺葵の『私にできるすべてのこと』（文藝春秋、二〇二一年）を持つ日本の読者は、次の文章を、世界の無数の読者とはまた違ったかたちで読むのであろうか。うっかり結末を読んでしまうという事故の起きぬよう、英文で引用する。

'Mr. Capaldi believed there was nothing special inside Josie that couldn't be continued. He told the Mother he'd searched and searched and found nothing like that. But I believe now he was searching in the wrong place. There was something very special, but it wasn't inside Jodie. It was inside those who loved her. That's why I think now Mr. Capaldi was wrong and I wouldn't have succeeded. So I'm glad I decided as I did.'

（Kazuo Ishiguro, *Klara and The Sun*, 431, Faber & Faber, 2021）

◉著者紹介

栂正行（とが・まさゆき）

東京都立大学大学院人文科学研究科博士課程中退。同大学人文学部助手を経て、現在中京大学教養教育研究院教授。著書に『抽象と具体』、『創造と模倣』、『引用と借景』（いずれも三月社）、『コヴェント・ガーデン』（河出書房新社）、『絨毯とトランスプランテーション』（音羽書房鶴見書店）、『大学教育と博物館』（共著、中京大学先端共同研究機構）、『土着と近代』（共編著、音羽書房鶴見書店）、『インド英語小説の世界』（共編著、鳳書房）、『刻まれた旅程』（共編著、勁草書房）、訳書にアルフレッド・ダグラス『タロット』、リチャード・キャヴェンディッシュ『黒魔術』、『魔術の歴史』（いずれも河出書房新社）、マテイ・カリネスク『モダンの五つの顔』（共訳、せりか書房）、V・S・ナイポール『中心の発見』（共訳、草思社）、サイモン・シャーマ『風景と記憶』（共訳、河出書房新社）、カミール・パーリャ『性のペルソナ』（共訳、河出書房新社）など。

継承と共有

所有と交換のかたわらで

2021年 9月 10日 初版1刷発行

著　者　栂正行

発行人　石井裕一

発行所　株式会社三月社

〒113-0033　東京都文京区本郷一丁目5-17 三洋ビル67

tel. 03-5844-6967　fax. 03-5844-6612　http://sangatsusha.jp/

組版・装幀　@gonten

印刷・製本　株式会社シナノ

ISBN978-4-9907755-6-8 C0070

引用と借景

文学・美術・映像・音楽と旅の想到

「引用」と「借景」の意味を求め、著者は列車を乗り継いで各地のアートを猟渉し思索を続ける。カズオ・イシグロ作品の断続的批評、V・S・ナイポール『到着の謎』とデ・キリコの絵画『到着と午後の謎』の関係、ロンドン・ソーホーの映画群からシュルレアリスムの絵画、市場と広場の成立、モノ・ことば・こころの関係から「引用」と「借景」の営みを検出する。

四六判並製　本文 224 p＋カラー口絵４p
定価（本体 2200 円＋税）ISBN978-4-9907755-2-0 C0070

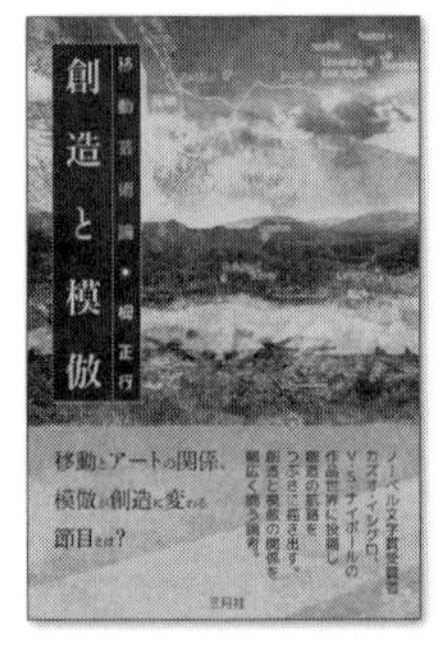

創造と模倣

移動芸術論

“創造”と“模倣”の関係を“移動”のなかで幅広く問うアートの論考。ノーベル文学賞受賞者カズオ・イシグロ、V・S・ナイポールの作品世界に投錨し創造の航路をつぶさに描き出す。小説、絵画、模型、ミニチュア。拡大、縮小、反復、翻案、転用、転換。オリジナルと複製芸術。パスティシュと「まがい物」。イデアとミメーシス。画家たちの伝記的映画に創造への転換を探る。

四六判並製　本文 240 p＋カラー口絵４p
定価（本体 2200 円＋税）ISBN978-4-9907755-3-7　C0070

抽象と具体

創造行為を描き出すこと

抽象と具体の表現の往還は創造行為に、芸術にいかに結実するか。著者は文学、絵画、写真、映像の作品を貫きながら思考のレールを延ばし、創造行為の始発へと思いを巡らせる。カズオ・イシグロ、V・S・ナイポール、夏目漱石らをターミナルに、思考のメタ列車は多数多様な作品を通じて、抽象と具体の表現、その往還の意味を問う。

四六判並製　本文 216 p
定価（本体 2200 円＋税）ISBN978-4-9907755-4-4　C0070